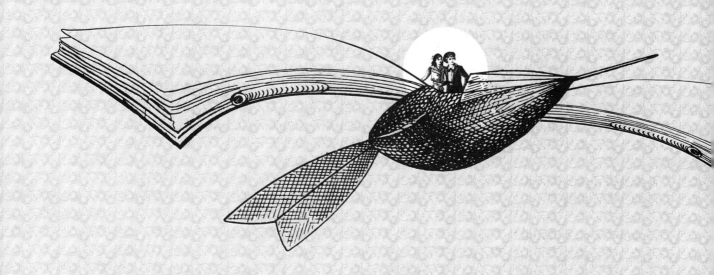

LIBRO DE LECTURAS

Tercer grado

Libro de lecturas. Tercer grado fue desarrollado por la Dirección General de Materiales Educativos (DGME) de la Subsecretaría de Educación Básica, Secretaría de Educación Pública.

Coordinación técnico-pedagógica
Dirección de Desarrollo e Innovación de Materiales Educativos, DGME/SEP
María Cristina Martínez Mercado, Claudia Elín Garduño Néstor, Ana Lilia Romero Vázquez

Autores
Bárbara Atilano Luna, Víctor Manuel Banda Monroy, Antonio Domínguez Hidalgo, José Agustín Escamilla Viveros, Maia Fernández Miret, Mónica Genis Chimal, Julia González Quiroz, Francisco Hernández, Hugo Alfredo Hinojosa, Martha Liliana Huerta Ortega, Karolina Grissel Lara Ramírez, Estela Maldonado Chávez, Martha Judith Oros Luengo, Daniela Aseret Ortiz Martinez, Óscar Osorio Beristain, Norma Guadalupe Ramírez Sanabria, Carlos Ramos Burboa, Carlos Alberto Reyes Tosqui, Elizabeth Rojas Samperio, José Santos Chocano

Revisión de contenido
Virginia Tenorio Sil
María del Carmen Rendón Camacho

Coordinación editorial
Dirección Editorial, DGME/SEP
Alejandro Portilla de Buen

Cuidado editorial
Modesta García Roa

Coordinación iconográfica
Fabiola Buenrostro Nava

Producción editorial
Martín Aguilar Gallegos

Servicios editoriales (2011)
Galera Diseño

Dirección de arte
José Luis Lugo

Diseño y diagramación
Bredna Lago, Santiago Fernández, Paloma Ibarra

Formación
Santiago Fernández, Paloma Ibarra

Edición gráfica e ilustración
Andrea Aguilar Álvarez, Alberto Alrod, Gustavo Amézaga Heiras, Carlos Castillo, Julia Díaz, Santiago Fernández, Roberto Gutiérrez, Paloma Ibarra, Jotavé, Bredna Lago

Primera edición, 2012

D.R. © Secretaría de Educación Pública, 2012
        Argentina 28, Centro
        06020, México, D.F.

ISBN: 978-607-469-727-8

Impreso en México

Presentación

La Subsecretaría de Educación Básica, a través de la Dirección General de Materiales Educativos, ha preparado este *Libro de lecturas* como material de apoyo para la formación de nuevos lectores y el fomento a la lectura. En este contexto, la selección de textos que integran la presente publicación responde a tres propósitos: leer para tomar decisiones, leer para disfrutar la experiencia literaria y leer para aprender.

El apoyo de las familias es esencial para el desarrollo del hábito de la lectura en los niños y jóvenes, por ello las convocamos a participar con nosotros en el propósito de hacer de la práctica lectora una actividad placentera. Cabe recordar a los padres la importancia de que sus hijos sean capaces de leer correctamente desde pequeños, ya que la eficacia en la comprensión lectora está directamente relacionada con el éxito en la escuela y en el futuro profesional.

Por las razones antes mencionadas, mejorar los niveles de lectura en nuestro país debe ser una labor y un compromiso compartidos. Para alcanzar este objetivo, el libro que hoy tienen en sus manos ha sido concebido como un instrumento para impulsar la práctica de la lectura en la familia y cerrar la brecha entre el libro y el alumno.

Este *Libro de lecturas* contribuirá a que, por una parte, los alumnos lean por placer, amplíen sus conocimientos generales y fortalezcan los valores para la convivencia familiar; por la otra, a estimular la participación de los padres de familia en la tarea de fomentar la competencia lectora y el progreso educativo de sus hijos.

SECRETARÍA DE EDUCACIÓN PÚBLICA

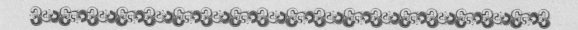

A los alumnos y maestros:

A lo largo de nuestra vida, la lectura es una habilidad indispensable para el aprendizaje. Con los libros saciamos nuestra curiosidad sobre los temas que nos interesan y se nos abren las puertas a mundos llenos de imaginación y aventura.

Este libro ofrece una serie de textos que han sido seleccionados para despertar el gusto por la lectura. Conviene adelantar que la lectura, como muchas otras actividades, requiere entrenamiento y práctica, así, lo que en un principio parece complicado y de poco interés, con la práctica será diferente: se convertirán en lectores expertos, se divertirán y podrán compartir su experiencia con los demás.

La lectura es una empresa importante en la que alumnos, familia y maestros debemos trabajar. La adquisición de la fluidez lectora permitirá, por medio de la práctica y la retroalimentación constantes, desarrollar la habilidad de leer un texto de manera rápida, precisa y con la dicción adecuada, para mejorar el rendimiento académico y conseguir el éxito escolar.

Por lo anterior, es recomendable abrir un espacio de intercambio de experiencias sobre la práctica de la lectura en la escuela y en el hogar, que funcione de manera periódica (mensual, quincenal o semanal), en el que se comenten las lecturas, las dificultades que se enfrentaron y las sugerencias, generales y particulares acerca de los temas planteados en la sección "Para comentar la lectura".

¡Ánimo y disfruten el *Libro de lecturas*!

A la familia:

Leer en familia les dará la oportunidad de practicar diversas formas de leer, propiciará un espacio de convivencia que fortalecerá significativamente el aprendizaje escolar de los alumnos. Compartir la lectura con quienes nos rodean cumple varios propósitos: buscar información, dar solución a situaciones problemáticas y conocer escenarios, ambientes y entornos, que les permitan analizar, comparar y tomar decisiones.

A continuación presentamos algunas sugerencias que pueden apoyar la práctica de la lectura en casa:

- Acordar en familia el momento del día que dedicarán a la lectura.
- Elegir un lugar tranquilo, agradable y con suficiente iluminación.
- Seleccionar juntos la lectura.
- En el caso de los más pequeños, conviene realizar la lectura siguiendo el texto con el dedo, de esta manera se relacionará la oralidad con la escritura de las palabras, es decir, se reconocerá que "lo que está escrito, se puede leer".
- Comentar el título con la idea de anticipar el contenido del texto y expresar lo que se sabe del tema.
- Platicar sobre las imágenes para que los niños puedan recrear lo que están leyendo.
- Pedir a los niños que identifiquen y nombren los personajes y lugares de la historia.
- Interrumpir la lectura y preguntarles qué creen que sucederá a continuación.
- Propiciar que los niños hagan comentarios sobre la historia, que cambien algún pasaje, a fin de promover la comprensión del texto y favorecer su creatividad.
- Alternar el lugar de lector, pues un buen lector se hace con la práctica.
- Al concluir la lectura, conversar acerca de lo que leyeron. En este momento es recomendable revisar con los niños o jóvenes las palabras que hayan omitido o leído de manera incorrecta.
- Recurrir a la sección "Para comentar la lectura", pues en ella se ofrece una serie de temas y preguntas relacionadas con cada texto. Es un complemento a las sugerencias, ideas y actividades que cada acompañante de lectura proponga.

Recuerden que el maestro siempre está dispuesto a apoyarlos.

¡Disfruten en familia la experiencia de la lectura!

Índice

La historia de un pequeño héroe de la guerra de Independencia

Carlos Alberto Reyes Tosqui

Hace 200 años, aproximadamente, cuando nuestro país luchaba por lograr su Independencia, en las filas del ejército insurgente que mandaba el General José María Morelos y Pavón, había un grupo de niños de entre 10 y 13 años de edad. Los llamaban "los emulantes" porque imitaban o seguían el ejemplo de las buenas acciones y los actos heróicos de otros.

Uno de esos niños, llamado Narciso Mendoza, realizó una acción que le valió ser considerado como un héroe. Esta historia la conocemos porque Narciso, siendo una persona adulta, en una carta dirigida a su mejor amigo, Juan Nepomuceno Almonte, quien era hijo del general Morelos narró la forma como llegó a ser un héroe.

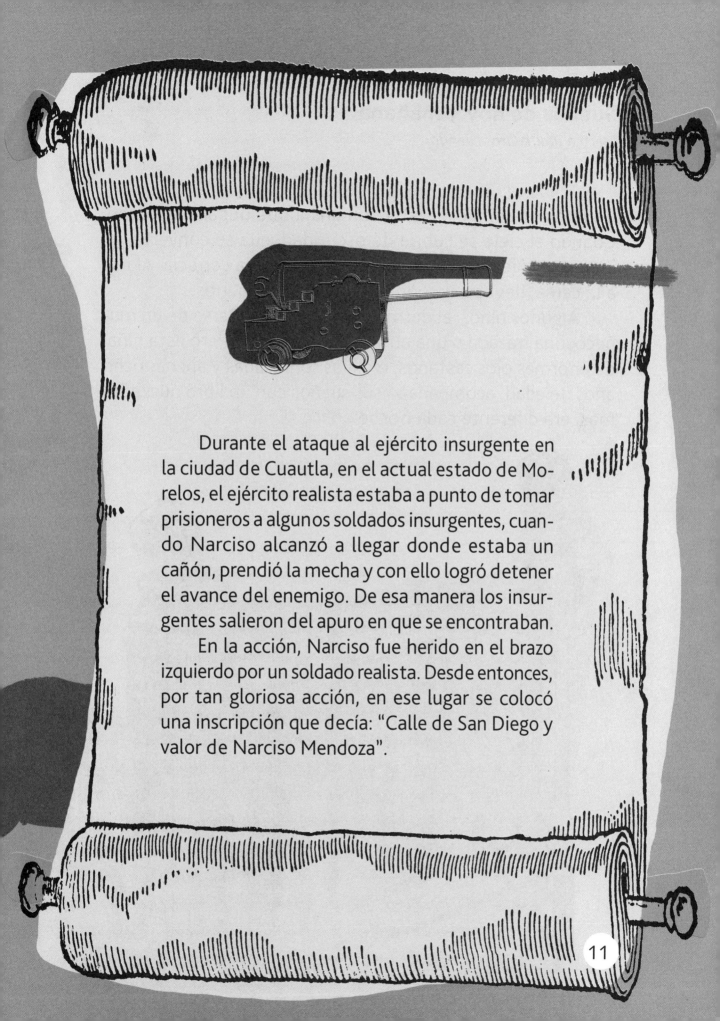

Durante el ataque al ejército insurgente en la ciudad de Cuautla, en el actual estado de Morelos, el ejército realista estaba a punto de tomar prisioneros a algunos soldados insurgentes, cuando Narciso alcanzó a llegar donde estaba un cañón, prendió la mecha y con ello logró detener el avance del enemigo. De esa manera los insurgentes salieron del apuro en que se encontraban.

En la acción, Narciso fue herido en el brazo izquierdo por un soldado realista. Desde entonces, por tan gloriosa acción, en ese lugar se colocó una inscripción que decía: "Calle de San Diego y valor de Narciso Mendoza".

Sueños de hoy y mañana

Martha Judith Oros Luengo

Cada día, Celina esperaba con ansia que llegara la noche. Cuando el cielo se cubría de oscuridad, ella se convertía en la niña más feliz del mundo. La razón nadie la conocía. Al irse a la cama, llevaba siempre un libro en sus manos.

Algunos niños, al dormir, suelen acompañarse de un muñeco, una frazada o una almohadita especial. Pero esta niña, de enormes ojos castaños, mejillas sonrosadas y apenas ocho años de edad, acompañaba sus sueños con un libro que, además, era diferente cada noche.

Quienes la veían dormir aseguraban que Celina tenía dulces sueños, pues en su carita mantenía una gran sonrisa toda la noche.

Una mañana, al despertar, Melisa, la hermana pequeña de Celina, le preguntó:

—Hermana, ¿por qué todas las noches bajas un cuento del librero para dormir con él?

La mamá, quien justo entraba en el cuarto para darles los buenos días, preguntó también con curiosidad:

—Sí, Celina, ¿puedes decirnos por qué te acompañas con un libro cuando duermes? Anda, cuéntanos, ¿sí?

Celina, al ver tanta curiosidad en ellas, se mostró dispuesta a platicarles su secreto.

—Pues verán, me gusta dormir con mis amigos los libros para platicar con ellos. En mis sueños, me cuentan todo lo que tienen en sus páginas. Y yo, además de aprender, me divierto mucho.

—Pero, ¿cómo que platicas con los libros? —preguntó insistente la mamá.

Celina contestó muy elocuente: —Sí, mira, un día estaba leyendo el libro de cuentos que me regaló papá en mi cumpleaños y lo traje conmigo a la cama. Antes de dormirme, lo abracé, le dije que estaba muy contenta por tenerlo y que deseaba saber todo lo que había en su interior.

Como yo empezaba a leer, le pedí que me ayudara.

Entonces, me quedé dormida y, mientras soñaba, apareció el libro de

cuentos delante de mí, me llamó por mi nombre, me saludó y me dijo que era mi amigo. Después, siguió platicando conmigo toda la noche.

Entonces, Celina bajó la voz y les dijo a su hermana y a su mamá:

—¿Quieren que les cuente lo que me dijo mi amigo el libro?

Ellas contestaron emocionadas que sí.

Celina se dispuso a platicarles. Se levantó, imitando la voz de su amigo el libro, les repitió palabra por palabra:

"Celina, déjame decirte que leer libera la imaginación y la magia de las palabras. Leer te abre la puerta del país de la fantasía. Los libros somos como naves en las que se puede viajar en el tiempo y el espacio para conocer diferentes lugares, personas, costumbres, gustos, inventos y aficiones. La lectura también permite conocer personas que vivieron en épocas remotas. En los libros, además, puedes vivir aventuras maravillosas, junto a personajes fantásticos: princesas que viven en castillos, dragones y príncipes encantados. Los libros, Celina, somos el universo del saber."

En ese momento, la mamá de Celina exclamó:

—¡Ya entiendo! Por eso se dice que el libro es el mejor amigo de las personas.

Desde ese día, el librero de la casa de Celina es el más concurrido. Celina, Melisa y sus padres todos los días leen un libro antes de dormir, para tener dulces e interesantes sueños.

Acertijos

Estela Maldonado Chávez

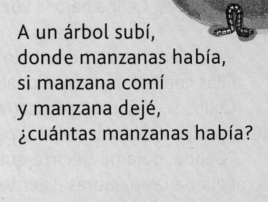

A un árbol subí,
donde manzanas había,
si manzana comí
y manzana dejé,
¿cuántas manzanas había?

Conejito brinca y brinca,
cuatro brincos adelante
y tres brincos para atrás.
¿Cuántos brincos ha de darse
si cinco vueltas hará?

Un pan, otro pan,
pan y medio y pan.
¿Cuántos panes son?

Respuestas: Había dos manzanas y me comí una; treinta y cinco; cuatro panes.

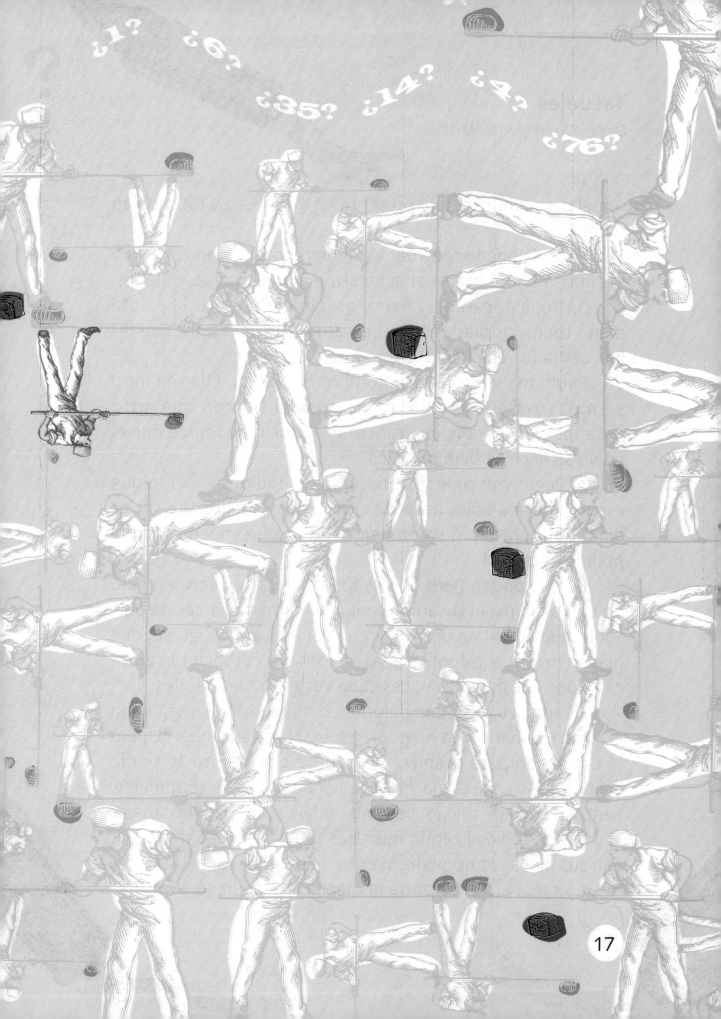

Tatuajes

Daniela Aseret Ortiz Martinez

Aquel día siempre estará presente en mi cabeza y tatuado en mi piel.

Todavía puedo recordar el balón rebotando en el suelo y la sonrisa en mi rostro al acercarme a mis amigos, quienes, por cierto, estaban muy extraños. No corrían tras la pelota como todos los días desde que salimos de vacaciones; estaban sentados en círculo, como escogiendo algo.

Pablo me vio y tocó el hombro de Karina. Ella me miró y en su rostro se dibujó una sonrisa al tiempo que gritó —Carlos, ven, mira lo que tenemos—. Corrí tan rápido que el polvo se levantó bajo mis pies.

Al llegar, mis ojos se abrieron sorprendidos al ver lo que escondían: una bolsa llena de cohetes de muchos tipos. Había brujitas, ratones, palomas y ¡todo lo que yo jamás había podido comprar!

Lu dijo que su hermano se los había traído como regalo de cumpleaños. Al tocarlos, venían a mi mente voces de personas que advertían que jugar con cohetes era peligroso, que podían ocurrir accidentes; pero mis amigos estaban tan emocionados que aquellas voces cada vez eran más débiles.

Cuando Lu puso una paloma en mi mano me imaginaba el ruido que haría y ya no podía esperar para encenderla; pero la condición para prender un cohete era que no se podía aventar hasta que la mecha estuviera a punto de terminarse. Sentí un poco de miedo, pero no dudé y asentí con la cabeza.

Lu encendió el cerillo mientras todos se alejaban y tapaban sus oídos; yo no podía aventar la paloma hasta que ellos me dijeran, pero al calor de la mecha pronto llegó a mis dedos y cada vez era más caliente; no aguanté más y lo solté cerca de la bolsa con el resto de los cohetes y, en cuanto quise correr, el sonido ya era ensordecedor. Aún puedo sentir los pedazos calientes sobre mi piel y cómo la tatuaban sin que yo pudiera hacer nada.

Mi vida y la de mi familia cambió aquel día, y esas lágrimas de dolor hacen que recuerde las voces que nunca debí haber callado.

El amor de las selvas

José Santos Chocano

Yo apenas quiero ser humilde araña
que en torno tuyo su hilazón tejiera
y que, como explorando una montaña,
se enredase en tu misma cabellera.

Yo quiero ser gusano, hacer encaje;
dar mi capullo a las dentadas ruedas;
y así poder, en la prisión de un traje,
sentirte palpitar bajo mis sedas...

¡Y yo quiero también, cuando se exhala
toda esta fiebre que mi amor expande,
ir recorriendo la salvaje escala
desde lo más pequeño hasta lo más grande!

Yo quiero ser un árbol: darte sombra;
con las ramas, la flor, hacerte abrigo;
y con mis hojas secas, una alfombra
donde te echarás a soñar conmigo...

Yo quiero ser un río: hacer un lazo
y envolverte en las olas de mi abismo,
para poder ahogar con un abrazo
y sepultarte en el fondo de mí mismo.

Yo soy bosque sin trocha: abre el sendero,
yo soy astro sin luz: prende la tea.
Cóndor, boa, jaguar, ¡yo apenas quiero
ser lo que quieras tú, que por ti sea!

Yo quiero ser un cóndor, hacer gala
de aprisionar un rayo entre mi pico;
y así soberbio..., regalarte un ala,
¡para que te hagas de ella un abanico!

Yo quiero ser una boa: en mis membrudos
lazos ceñirte la gentil cintura;
envolver las pulseras de mis nudos;
y morirme oprimiendo tu hermosura...

Yo quiero ser caimán de los torrentes;
y de tus reinos vigilar la entrada,
mover la cola y enseñar los dientes,
como un dragón ante los pies de un hada.

Yo quiero ser jaguar de tus montañas,
arrastrarte a mi propia madriguera,
para poder abrirte las entrañas...
¡y ver si tienes corazón siquiera...!

Texto tomado de ‹www.los-poetas.com/d/choc.1.htm›.

Calaveritas

Francisco Hernández

Santo, el enmascarado de plata

El luchador más famoso,
de todos crema y nata,
era Santo el asombroso,
con su máscara de plata.

Nadie le podía ganar,
sobre un *ring* era la ley.
Hubo quien lo vio volar
de México a Monterrey.

Las "llaves" las inventaba
a casi dos mil por hora.
Pero la muerte acechaba
con su fatal "quebradora".

Vamos a extrañar a Santo,
ya lo quitaron del medio.
Pero al admirarlo tanto,
decimos: "¡Santo remedio!".

Diego Rivera

La Calavera Catrina
le dijo a Diego Rivera:
—Píntame con diamantina
y vestida de rumbera.
Quiero que la gente fina
me recuerde aventurera.

26

Mas el travieso panzón
no le hizo caso a la Muerte.
Hoy descansa en el panteón
o en alguna caja fuerte,
escuchando algún danzón
o el número de la suerte.

La gotita rebelde

Carlos Ramos Burboa

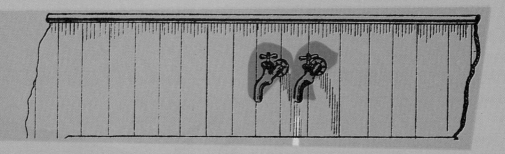

En el hogar de la familia Pérez había, desde hacía muchos días, una llave de agua descompuesta en el cuarto de baño que comunicaba con la recámara principal. En esta recámara dormían, claro está, el señor y la señora Pérez, quienes se habían acostumbrado tanto al tintinear de las gotas en el lavabo, que el insistente sonido los ayudaba a dormir mejor.

El lavabo tenía, como casi todos en la actualidad, dos llaves de agua: una para el agua caliente y otra para el agua fría. La que goteaba era la llave del agua fría. Cada dos o tres segundos, una pequeña gota asomaba por la boquilla del grifo y empezaba a crecer inconteniblemente hasta que su propio peso la hacía caer al vacío y estrellarse en el fondo metálico del lavabo, con un penetrante sonido, como si un duendecillo chasqueara sus minúsculos dedos.

En el interior de la llave de agua, innumerables gotas se arremolinaban y apretujaban, mientras les llegaba su turno de salir a la luz del día. La gota que quedaba hasta el frente era prácticamente forzada, por la presión de las que venían detrás, a través de la pequeña rendija que dejaba el sello de goma en mal estado. El contorno casi esférico de la infortunada gota se deformaba y alargaba hasta convertirse en un delgadísimo hilo de agua que, al alcanzar la boquilla del grifo, retomaba poco a poco su forma original. La desdichada gota intentaba casi siempre aferrarse con todas sus fuerzas al borde metálico, hasta que flaqueaba y se desprendía en un salto mortal, acompañado siempre por los gemidos de las gotas que presenciaban su vertiginosa caída.

Una mañana, cuando se filtraban por la ventana los primeros rayos del sol, apareció en la llave del agua una gotita muy especial. A primera vista, no había nada distinto entre aquella gotita y los millones que iban y venían por la tubería todos los días. Pero las gotitas más viejas, las que tenían muchos kilómetros de tubería recorridos, reconocieron de inmediato un brillo especial en aquella gotita, como si un pequeño sol ardiera en su interior. Era una gotita rebelde. Su inquieta naturaleza la llevaba a cuestionar siempre lo que sucedía a su alrededor. Amaba la libertad y no soportaba las injusticias.

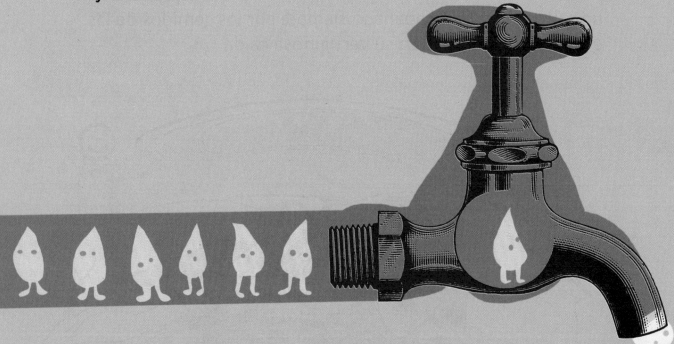

Muy pronto, abriéndose paso entre sus todavía adormecidas compañeras, la gotita rebelde llegó hasta donde las más adelantadas esperaban su turno de salida. Hizo algunas preguntas a las gotas ancianas, que se aferraban tenazmente a las paredes del grifo, y, tras considerar la situación en silencio por unos segundos, lanzó la siguiente arenga:

"Hermanas gotas, para llegar hasta aquí hemos recorrido cientos, a veces miles de kilómetros. Hemos soportado incontables veces el frío y, otras muchas, calores insufribles. Nuestros orígenes son tan remotos e inconcebibles que apenas los recordamos. Yo recuerdo el mar y un sol abrasador que me convirtió en vapor. Luego subí hasta las nubes y, por un tiempo, me volví hermano de las aves. Mi primer contacto con la tierra firme fue en la fría montaña. Después vino el descenso por manantiales y arroyos y ríos cada vez más caudalosos. Hasta que los humanos me capturaron, como a todos ustedes, en sus enormes presas y canales. Me sometieron a incontables tratamientos para liberarme de las impurezas acumuladas en mi largo camino y me encerraron en esta oscura tubería, que al final me ha traído hasta ustedes. Aunque añoraba mi libertad, todo este tiempo me ha consolado pensar que sería útil a los humanos, que saciaría su sed, formaría parte de sus alimentos o ayudaría en su aseo. Por eso ahora me llena de espanto y de tristeza ver a nuestras hermanas gotas sacrificarse en vano."

La gotita rebelde interrumpió su discurso, justo cuando una gota más saltaba hacia el vacío. Todas las gotas contuvieron el aliento y miraron con creciente aprobación a la gotita rebelde, que entonces retomó su discurso...

Unos minutos después, la señora Pérez despertó. Cuando vio el reloj notó que era más temprano que lo acostumbrado. La había despertado el ruido de las gotitas al caer. Más bien, la ausencia de ese ruido, ya que no llegaba ningún sonido desde el baño contiguo.

La señora Pérez se levantó y, tras unos cuantos pasos, se detuvo en seco frente al lavabo. No podía dar crédito a sus ojos. En la boca del grifo había una enorme gota de agua, del tamaño de una pelota de golf. Más que una gota de agua, parecía un globo que se inflaba más y más.

Temerosa de estar soñando, la señora Pérez corrió por su marido y sus dos hijos, quienes acudieron pronto a su llamado. Todos juntos observaron los últimos segundos de aquel increíble espectáculo. La enorme gota había crecido ya al doble del tamaño original, y era evidente que no podría sostenerse por mucho tiempo más. En el último instante, justo antes de que la descomunal gota se reventara con un sonoro estallido, la señora Pérez vio un punto de luz en su superficie, como si un minúsculo sol ardiera en su interior...

Unas horas más tarde, el señor Pérez salió a la calle y regresó acompañado de un plomero. El reemplazo del sello de goma defectuoso tomó apenas unos minutos y el grifo dejó de gotear.

Pero dentro del grifo, la increíble historia de la gotita rebelde se transmitió de una generación a otra de gotas durante muchísimos años.

La bujía

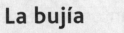

José Agustín Escamilla Viveros

"Lo que empieza con gran coraje, termina con gran vergüenza", sentencia un dicho popular. Don Juan lo comprobó.

El viernes fue al pueblo a comprar las refacciones para que afinaran su camioneta, entre ellas, cuatro bujías. Pagó y guardó las piezas en una mochila grande y volvió a su rancho.

Al día siguiente, al entregarle las refacciones a su sobrino Melquiades, se dio cuenta de que la caja de una de las bujías estaba vacía, aunque el empaque estaba perfectamente cerrado, como los demás. Puso la caja en una bolsa y muy enojado regresó al pueblo.

Cuando don Sebastián, el dueño de la refaccionaria, vio llegar a don Juan intentó saludarlo, pero no pudo porque don Juan le gritó:

—¡Usted es un ladrón! —al tiempo que aventó la caja de la bujía en el mostrador. También dijo muchas palabras, groseras, rasposas, filosas, hirientes, de esas que causan mucho dolor a quien las recibe.

—¡Cálmese, don Juan!, seguramente hay un malentendido —dijo don Sebastián.

—¡Qué malentendido ni qué nada. Me vendió una caja vacía! —contestó don Juan, y de su boca salieron de nuevo sapos, culebras, alacranes y otras palabras tan groseras que nadie se atrevía a repetirlas.

Los vecinos del pueblo llegaron atraídos por los gritos de don Juan. Cuando él se acercó a don Sebastián para intentar golpearlo, varias manos lo sujetaron. Forcejeó, pataleó y gritó barbaridades contra todo el poblado.

—Don Juan, yo nunca he robado a nadie ni lo haré. Si le faltó una bujía, aquí la tiene, pero estoy seguro de que todas estaban en sus cajitas—. Don Juan casi se la arrebató, dio media vuelta y muy enojado regresó a su rancho.

Cuando regresó, Melquiades estaba haciendo la afinación de la camioneta. Le dio la bujía a su sobrino, entró a la casa y recordó que en la mochila había dejado un billete de quinientos pesos. Empezó a buscarlo y de repente sintió un pequeño objeto metálico, lo tomó, lo sacó y lo observó atónito; dio media vuelta y volvió al pueblo.

Al llegar al pueblo, la gente empezó a murmurar. Don Juan sintió que, con cada paso que daba, se ponía más rojo de vergüenza. Cuando se encontró frente a don Sebastián no sabía cómo empezar y el silencio inundó la refaccionaria.

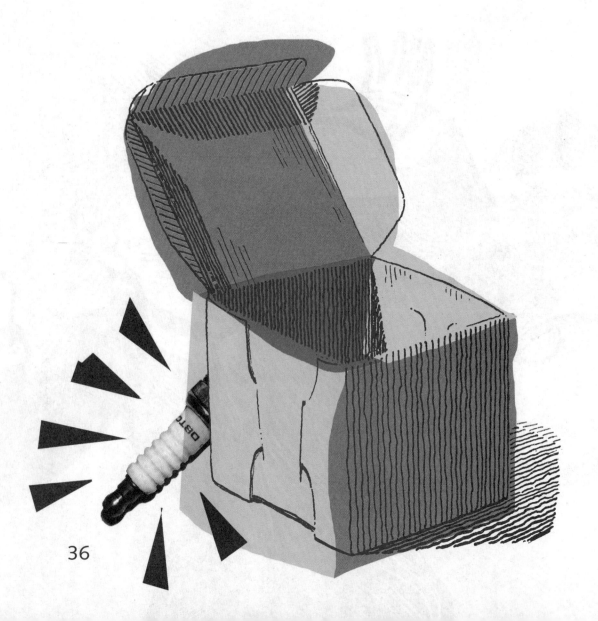

—¡Discúlpeme, don Sebastián, usted tenía razón! No sé cómo se salió la bujía de su caja ni cómo se cerró sola, y hace un momento la encontré en la mochila. ¡Disculpe lo grosero que fui con usted! —dijo, muy apenado mientras colocaba la bujía con mucho cuidado en el mostrador.

—No se preocupe, don Juan. Olvidemos eso. No quiero perder a un buen amigo por una tontería. Hace mucho calor allá afuera, ¿no gusta tomarse un vaso de agua fría de limón? —contestó don Sebastián con una sonrisa.

Inundaciones

Maia Fernández Miret

El agua que usamos todos los días es buena y tranquila como un animalito doméstico: podemos llevarla de un lado al otro y jugar con ella, mezclarla hasta formar remolinos y soplarle para hacer burbujas... Ella se deja hacer, cambia de forma a nuestro antojo, sostiene nuestros barquitos de papel durante las carreras de los domingos y se convierte en agua de limón, y de jamaica, y de horchata...

Pero a veces el agua cambia y se vuelve salvaje y terrible; en esas ocasiones se acumula y se desborda de los ríos y de las laderas y, aunque sólo llegue abajo de la rodilla, arrastra todo lo que encuentra a su paso, animales, personas y coches. Eso es lo que pasa cuando hay una inundación.

Aunque sus efectos se parecen, las inundaciones pueden ocurrir por diferentes causas. A veces llueve mucho, muchísimo, y hay tanta agua que el suelo no puede absorberla, sobre todo si está cubierto por cemento y no hay muchos espacios para tierra y plantas. Sucede lo mismo cuando se talan todos los árboles de un lugar: la tierra queda suelta y no tiene de dónde agarrarse, y cuando llega el agua la arrastra en su camino. En algunas ocasiones se rompe una presa o un dique, y el agua que estaba adentro sale a toda velocidad, o una tormenta en el mar produce olas tan grandes que se meten a la costa y la inundan.

Cuando ocurre una inundación no hay forma de detenerla. En esos momentos hay que seguir las instrucciones de las autoridades y tomar algunas precauciones, como tener un radio de pilas para oír las noticias, llevar los teléfonos de emergencia para pedir ayuda si hace falta y desconectar el

gas y la luz para que no se produzca un incendio o una fuga. También es muy importante no tratar de caminar, nadar ni manejar por caminos inundados o por corrientes de agua, aunque sean bajitas. Si el agua sube mucho y tu familia no tuvo tiempo de salir, pueden subir al techo, pero si viven en una casa que esté en una zona baja, o si está hecha de palma, carrizo o adobe, es mejor que se dirijan a otro lugar lo antes posible, porque el agua puede destruirla.

Cuando pase el peligro es mejor no acercarse a las corrientes de agua, porque aún pueden ser muy fuertes. Tampoco es buena idea estar cerca de cables eléctricos que se hayan caído, ni de casas o bardas que estén dañadas, porque pueden desplomarse. Las colinas seguramente tienen tierra suelta y pueden deslavarse, así que lo ideal es permanecer en terreno alto y plano hasta que los expertos digan que es seguro regresar. Si tu familia vuelve a casa

revisen las instalaciones, los pisos, los muros y el techo, y si creen que no es segura pidan ayuda a un experto de protección civil para que les diga si puede habitarse de nuevo. Coman sólo comida enlatada y beban agua limpia que esté guardada en recipientes bien cerrados. Asegúrense de sacar toda el agua de su casa y de los alredededor lo antes posible para evitar una plaga de mosquitos, pues ponen sus huevos en el agua estancada.

Ya sabes qué hacer durante y después de una inundación. Pero también hay algunas cosas que puedes hacer antes, y que quizá te resulten interesantes y divertidas. Con ayuda de tus amigos y de tu familia o tu maestro, haz un mapa de la comunidad, indica cuáles son las zonas más bajas y las más altas, y dónde están las laderas que pueden deslavarse. Si hay un río, muestra por dónde pasa, y trata de imaginar qué lugares afectaría si se desbordara, primero un metro, luego dos y así hasta varios metros. Dibuja en el mapa las construcciones altas que servirán como refugio si el agua sube muy rápido. Trata de imaginar qué caminos se inundarían y cuáles servirían para llegar a algún lugar seguro en caso de emergencia y traza una ruta; averigua qué construcciones de tu comunidad sirven como refugios temporales y muéstralos en el mapa.

También resultará muy útil que platiques con personas mayores de tu comunidad, que seguramente tienen experiencia con las inundaciones y pueden contarte qué ha ocurrido en el pasado; así podrás prevenir futuras emergencias.

Tú y tus amigos pueden copiar este mapa en cartulinas grandes y colocarlo en varias partes de su comunidad, como la escuela, el salón de eventos y otros lugares en donde todos puedan verlo.

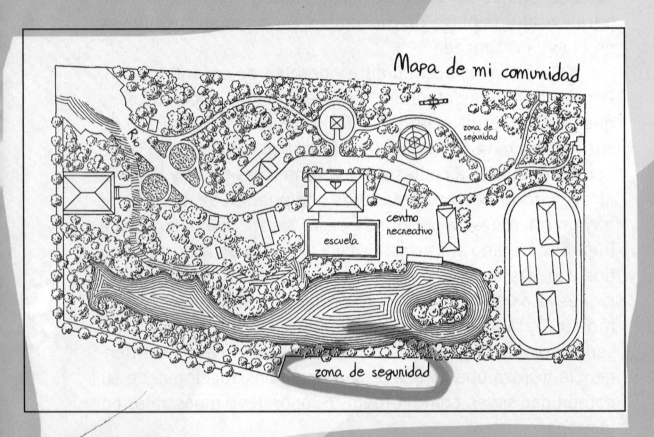

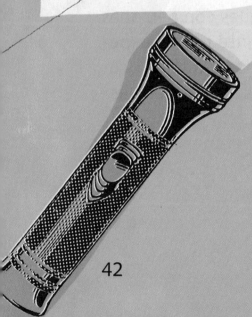

También puedes hacer un mapa parecido de tu propia casa, en el que muestres qué muebles estorbarían el paso si tuvieran que salir rápidamente. Indica dónde están los documentos importantes y los teléfonos de emergencia (hay que guardarlos en una bolsa de plástico para que no les pase nada si se mojan), y dónde se guardan los suministros de emergencia: un botiquín, el radio de pilas, una linterna y agua potable, comida enlatada, ropa abrigada, impermeables y botas. También puedes indicar dónde hay contactos, tanques de gas y otras fuentes de peligro. Invita a tu familia a hacer un simulacro; midan el tiempo y traten de romper sus propias marcas de velocidad para tener todo listo para la emergencia. No olviden hacer un plan para mover a los niños pequeños, a las personas ancianas o enfermas y a las personas con discapacidades.

Es verdad que cuando el agua se sale de control es muy peligrosa, pero si observas con cuidado la forma en que está organizada tu comunidad, y haces planes para que todos estén seguros durante una inundación, siempre podrás disfrutar el agua mansa y tranquila de todos los días.*

*Con información del Centro Nacional de Prevención de Desastres.

Atlantes toltecas

Elizabeth Rojas Samperio

El año pasado, para celebrar el fin de cursos, fuimos de paseo a Tula. Ahora te voy a contar todo lo que vi y aprendí de un señor que fue nuestro guía de turistas.

En Tula, encontramos una serie de construcciones que —nos dijeron— se habían construido hace mucho tiempo, antes de la llegada de los españoles. Al preguntarle al maestro, nos dijo que estas construcciones son conocidas como los Atlantes de Tula: estatuas muy altas, hechas de piedra basáltica.

Empezamos a comentar cómo pudieron construirlas, ya que, según nos habían explicando en clase, los índigenas no tenían los conocimientos para edificar casas. Sin embargo, yo pienso que esto es un cuento falso, porque yo creo que sí sabían cómo, y la prueba son estas estatuas y otras construcciones como las pirámides.

44

El Parque Nacional de Tula, donde se encuentran los Atlantes, es muy amplio. Además de éstos, hay unas pirámides. Un señor de aspecto agradable, que estaba en un ala del parque hablando de estos Atlantes, me llamó la atención cuando dijo que representan al ejército del dios Quetzalcoatl.

En el fondo del parque hay una pared con formas de culebras devorando a seres humanos. No sé si esto es real, porque los hombres son más grandes que las víboras.

Después, fuimos a la catedral. Es una construcción muy diferente de las otras que vimos en el parque. Según dijo el señor que estaba platicando, los españoles construyeron esa iglesia y el convento que está a un lado de la catedral.

Con nosotros fueron algunas mamás y el maestro de Educación Física. Éramos cuatro grupos en total. A mí me dio mu-

cho gusto que fuera el maestro Tomás, que le da clase a tercero. El año pasado iba a ser mi maestro pero lo cambiaron. Tomamos clase sólo los primeros días con él, y nos gustó mucho su manera de tratarnos. Sabe hablar náhuatl y nos enseñó algunas palabras. Durante todo el paseo nos fue platicando lo que él sabía y comentando lo que nos decía el guía. Así comprendimos por qué es importante conocer nuestras raíces y saber más sobre nuestros antepasados.

Las manifestaciones culturales de México son múltiples y muy variadas, eso es lo que nos hace un país rico.

La historia de Margarita
Martha Liliana Huerta Ortega

Era un invierno muy frío. Nadie quería salir de casa, todas las personas permanecían en sus hogares intentando calentarse. Algunos tomaban leche, chocolate o café caliente. Así pasaban ratos agradables intentando mantener ese calor de hogar.

Mientras tanto, en otros lugares intentaban permanecer en un ambiente cálido de diferente manera…

Margarita, una niña de 10 años a la que le encantaba jugar con sus amigos, vivía en un lugar pequeño con su hermanito, su mamá y su abuela. En ese lugar tenían sus camas, su cocina y un pequeño comedor.

Ella sólo veía la luz del sol por la rendija de su puerta. Siempre jugaba con su hermanito, porque no podía salir a jugar a la pelota: su pasatiempo favorito. A propósito, ella y sus amigos siempre decían que sería futbolista.

Deseaba tanto salir con sus amigos.

Margarita caminó hacia la puerta y dijo:

—Mami, ¿puedo salir a jugar a la pelota con mis amigos?

—¡No, hija! No me gustaría que te enfermaras si sales.

—Mami, te prometo abrigarme —dijo Margarita, e insistió tantas veces hasta que su mamá ya cansada concluyó: —hija, ¡no saldrás!, mejor juega con tu hermano para que se le quite el frío— y así lo hizo.

El sol empezó a ocultarse y el viento soplaba pegando en la puerta. El frío aumentaba.

En ese momento, la abuela decidió dejar la estufa encendida unos momentos para que se calentara un poco la casa, y, al mismo tiempo, prendió su anafre.

Margarita le preguntó:

—¿Por qué prendes eso abuela?

—¡Ah!, porque durante la noche hará más frío y así no lo sentiremos.

De pronto, el bebé empezó a llorar; parecía mareado. Al mismo tiempo, Margarita comenzó a tener nauseas y mucho sueño.

Margarita, recostada en su cama, llamó a su mamá y le dijo: —mami, me duele la cabeza y no puedo respirar bien—. Lo mismo tenía el bebé. Poco a poco se dieron cuenta de que todos se estaban sintiendo igual, así que decidieron ir al doctor.

El médico de urgencias los recibió de inmediato y dijo: —llegaron a tiempo, están intoxicados por monóxido de carbono, si hubiesen permanecido más tiempo inhalándolo, hubiera sido fatal. Para prevenirlo deben seguir estas recomendaciones:

* Ventilar la casa.
* Revisar que los aparatos que consuman algún combustible estén en buen estado.
* Nunca prender una estufa o anafre para calentar la casa.
* No encender parrillas de carbón dentro de la casa.

La abuela respondió: —¡qué pena, doctor!, yo provoqué este accidente.

51

—Bueno, ahora ya saben qué acciones seguir para evitar que esto no vuelva a suceder. Deben saber que el monóxido de carbono es un gas tóxico que se forma cuando, al quemarse un combustible, éste no se oxigena bien; por eso es importante que estén muy atentos. Espero que no regresen al hospital por la misma causa.

La niña decidió que en su casa no volvería a suceder esto, y propuso a sus amigos realizar una plática sobre el daño del monóxido de carbono en el hogar.

El contenido de su plática dice así:

¿Sabías que el personal de protección civil puede ayudarte a vigilar fugas de gas, encontrar los espacios de tu casa en donde hay monóxido de carbono, así como también te puede ayudar en caso de accidentes y muchas otras cosas más?

Queridos amigos, investiguen cuáles son las acciones que realiza un cuerpo de apoyo de protección civil.

Si notan que:

* Parece que hay monóxido de carbono en casa.
* Hay manchas negras cerca de los aparatos como el boiler, estufa o el horno.
* Hay flamas de color anaranjado en los quemadores de la estufa.
* Las ventanas están empañadas y oscuras.

Entonces, es tiempo de avisar y pedir ayuda. Aunque, lo más importante es que no se prendan en casa velas y anafres. Hay que tener mucho cuidado para evitar cualquier tipo de accidentes.

El camioncito con dos volantes

Hugo Alfredo Hinojosa

Personajes

Daniela (chofer 1)
Diego (chofer 2)
Edy
Andrea
Niños

En la calle hay un camioncito escolar; en los extremos tiene un volante y el asiento para chofer, y dos entradas. Diego y Daniela visten exactamente igual. Ambos sacuden su uniforme, arreglan su corbata. Suena el timbre escolar y entran niños por todas partes que suben al camioncito. Después entran Edy y Andrea, no se hablan y no se despiden. Luego sube cada quien por un extremo del transporte. Diego y Daniela esperan a que Edy y Andrea suban. Los niños gritan, juegan. Diego y Daniela suben y se acomoda cada quien en su lugar. Encienden al mismo tiempo el camioncito.

Diego: ¿Listos para irnos? *(Se arregla la corbata y acomoda los espejos. Sonríe.)*

Daniela: ¿Listos para irnos? *(Se arregla la corbata y acomoda los espejos. Sonríe.)*

Niños: ¡Vámonos! ¡Vámonos! ¡Vámonos!

Diego: No se diga más, ¡vámonos…! Primera parada en la casa de Andrea.

Daniela: Pues manos a la obra… ¡Vámonos! Primera parada en la casa de Edy.

Al escucharse estas palabras, ambos choferes guardan silencio, se voltean a ver, quedan quietos un segundo y después continúan con sus rutinas. Cuando se disponen a dar la marcha, el camioncito se mueve a la derecha, después se mueve a la izquierda, así por segundos hasta que los niños comienzan a gritar. Los choferes no dejan de acelerar sin lograr que avance el transporte.

Niños: ¡Ya se atoró, ya se atoró, ya se atoró! ¡Ya nos queremos ir…!

Después de unos segundos, Diego y Daniela, ya molestos, apagan el motor del transporte y bajan de inmediato. Antes de ponerse frente a frente ambos se arreglan la corbata haciendo los mismos gestos. Acto seguido, Edy y Andrea bajan junto con los choferes.

Diego: ¿Me puedes decir qué te pasa? Hoy me toca a mí. Tú ni siquiera sabes manejar.

Daniela: Creo que te equivocas, hoy me toca a mí. Y sí sé manejar. Igual que tú.

Andrea y Edy miran a los choferes, luego se ven entre ellos y se dan la espalda.

Diego: Tú no tienes por qué estar aquí. Éste no es un trabajo para mujeres.

Daniela: ¿Cómo que no es un trabajo para mujeres? Yo manejo mejor que tú y los niños me quieren más. Si no me crees pregúntales… *(Se arregla la corbata.)*

Diego: Eso no es verdad. Yo manejo mejor porque soy hombre. *(Se arregla la corbata.)*

Daniela: ¿Y eso qué? *(Andrea voltea a ver a Edy.)*

Diego: Que las mujeres sólo saben jugar a las muñecas. *(Edy voltea a ver a Andrea.)*

Daniela: Y ustedes nada más saben jugar futbol… y mal… Y también manejan mal…

Niños: ¡Sí…! ¡No saben! ¡No saben! ¡No saben! ¡No saben hacer nada…! *(Risas.)*

Edy y Andrea: (Se miran y al mismo tiempo dicen:
"Es verdad".)

Diego: Mejor ya quítate que voy a llegar tarde a dejarlos. ¿Y a ti quién te contrató?

Daniela: Yo soy quien los tiene que llevar a todos a sus casas. ¡La escuela me contrató!

Diego: Mira, si sigues queriendo manejar el camión al mismo tiempo que yo, no se va a mover. Ya me tengo que ir. *(Intenta subirse al camión, Daniela lo toma de la camisa y lo baja. Ambos se quedan quietos, se miran. Luego forcejean para tratar de subir.)*

Daniela: Mejor los llevo yo. *(Intenta subirse al camión y Diego la toma de la blusa y la baja. Ambos se quedan quietos y se miran. Luego forcejean para tratar de subir.)*

Diego: ¿Y entonces? *(Edy y Andrea se miran, se acercan despacio hasta que se hablan. Mientras Diego y Daniela siguen forcejeando y discuten sobre quién debe manejar, se caen, se levantan. Uno intenta quitarle al otro las llaves y viceversa.)*

Edy: No te quise decir vieja. ¿Me perdonas? Tú también puedes jugar a los carritos conmigo. *(Le presta un carrito de juguete que saca de la bolsa de su pantalón. Diego y Daniela voltean a verlos, luego se quedan quietos, se ignoran y se separan.)*

Andrea: No sé. Bueno. Pero ya no me vuelvas a decir así… Ellos siguen peleando.

Diego: Pues tengo mucha prisa, se hace tarde.

Niños: ¡Ya vámonos, ya vámonos, ya vámonos…! ¡Se hace tarde!

Diego y Daniela: Pues me toca a mí… Me toca a mí… No puede tocarnos a los dos.

Diego y Daniela quedan de frente mientras uno le jala la corbata al otro y lo desfaja y viceversa. No dejan de repetir las mismas frases.

Edy: ¿Y ustedes por qué están enojados? *(Daniela y Diego no le prestan atención.)*

Daniela: Éste no me quiere dejar manejar porque soy mujer y dice que no sé.

Diego: Es que maneja mal... esa no es mi culpa. *(Intenta quitarle las llaves a Daniela.)*

Niños: ¡Maneja mal, maneja mal...! ¡Bueno, los dos manejan mal...! *(Se ríen).*

Daniela: ¿Qué ustedes no estaban enojados? *(Intenta quitarle las llaves a Diego.)*

Andrea: Ya no. Él me dijo vieja... pero los dos podemos jugar a lo mismo... así que somos iguales. Él me presta sus carritos y yo mis muñecas... ¿Verdad?

Edy: ...Bueno, yo le presto mis carritos... *(Se sonríe.)* ¿Quién maneja siempre?

Diego: Pues yo. *(Toma una pose de hombre fuerte. Y señala los músculos de sus brazos.)*

Andrea: ¿Quién maneja mejor?

Daniela: Pues yo. *(Toma pose de mujer inteligente y señala su cabeza.)*

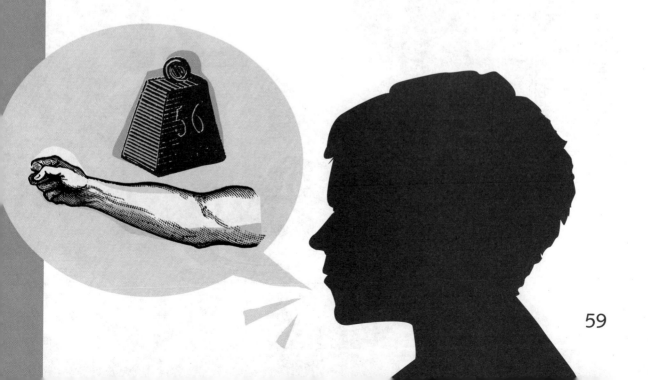

Andrea y Edy: *(Pensativos.)* ¿Entonces quién maneja mejor?

Diego y Daniela: Pues yo… *(Se voltean a ver, arreglan su corbata y se dan la espalda.)*

Niños: ¡Que maneje el que sea, ya vámonos…!

Diego: Bueno, aprendimos a manejar en el mismo lugar. *(Se faja la camisa.)*

Daniela: Bueno, sabemos las mismas reglas… *(Acomoda su peinado.)*

Edy y Andrea: *(Pensativos.)* Hay que llegar a un arreglo. *(Daniela y Diego guardan silencio.)*

Diego y Daniela: Sabemos lo mismo... aprendimos lo mismo y hacemos bien nuestro trabajo. Pues los dos manejamos igual de bien. *(Se sonríen.)* Ya no sabemos ni por qué peleamos. Si hasta vestimos igual y nos parecemos. *(Andrea y Edy empujan a Diego y Daniela, hasta que éstos quedan de frente.)*

Niños: ¡Ya se hace tarde, vámonos...!

Diego: Bueno, pues, yo manejo de ida... hasta dejar a todos los niños. ¿Qué te parece?

Daniela: Entonces yo de venida... y guardo el camioncito. ¿Qué te parece?

Diego y Daniela: De acuerdo... *(Se dan la mano, y se arreglan la corbata.)*

Edy: Entonces vámonos que se hace tarde.

Andrea: *(Antes de subir al camión.)* ¿Me invitas a tu casa a jugar a los carritos?, y si quieres yo te invito mañana a jugar a las muñecas.

Edy: Pues déjame ver. *(En voz baja al público.)* No me gusta jugar a las muñecas. *(A Andrea.)* Bueno, está bien, mañana jugamos a lo que quieras.

Niños: ¡Vámonos, vámonos, vámonos...!

Todos suben al camioncito, se acomodan y se marchan, mientras Diego conduce. Más tarde regresa el transporte vacío, maneja Daniela y Diego la acompaña, se estaciona, bajan y ella cierra el camioncito. Antes de salir, Daniela y Diego se dan la mano mientras sonríen y después salen por completo.

El galardón

Norma Guadalupe Ramírez Sanabria

Recibir un galardón es una experiencia muy agradable, pues con él se valora el trabajo individual, o colectivo, de quienes han trabajado con dedicación y entusiasmo en alguna actividad. Las personas que lo reciben, y las cosas que hicieron para ganarlo, son conocidas por mucha gente; sin embargo, hay ocasiones en que no es así.

Vas a conocer ahora la historia de Jesús León Santos, un indígena mexicano que fue galardonado con el Premio Ambiental Goldman, en el año 2008. Este premio se otorga desde 1990, gracias a los filántropos estadounidenses Richard N. Goldman y su esposa Rhoda H. Goldman, quienes buscaron reconocer el trabajo de aquellas personas que se esfuerzan porque tengamos un mejor ambiente. Pero, ¿qué hizo Jesús León Santos para ganar este reconocimiento?

Hace más de veinte años, Jesús comenzó a organizar campañas de reforestación y logró mejorar el paisaje de la región mixteca en Oaxaca. Lo que antes fueron tierras áridas, erosionadas y desprovistas de arboledas, poco a poco, con la dedicación de Jesús, se transformaron en zonas arboladas y de cultivo. Y, ¿cómo lo hizo?

Jesús organizó a un grupo de campesinos que trabajaron junto a él, con pico y pala, cavando zanjas para retener el agua de las lluvias y proteger los suelos contra la erosión; sembraron gran cantidad de árboles y adaptaron técnicas agrícolas que usaban los indígenas de la región, todo ello para restaurar el ecosistema que estaba tan deteriorado.

Cuando el trabajo fue mayor y las comunidades de los alrededores se dieron cuenta de que el trabajo organizado estaba dando resultado, los campesinos fundaron el Centro de Desarrollo Integral Campesino de la Mixteca (Cedicam), que ha puesto en marcha un importante programa de renovación de tierras, para apoyar a muchas comunidades a mejorar su ambiente y su calidad de vida, pues al lograr reverdecer los campos, las personas

se benefician con agua, alimento y leña; de esta manera ya no tienen que emigrar a trabajar a otros lugares, pues el campo les ofrece una buena opción para vivir.

Este programa ha ocasionado un desarrollo económico muy importante, motivo por el cual, Jesús León Santos obtuvo el galardón y fue nombrado "Héroe del ambiente y de la sociedad".

La historia de Jesús León Santos es un ejemplo de lo que se puede lograr si se trabaja con perseverancia y entrega total. Sin duda, fue interesante conocer esta historia. Y tú... ¿has pensado qué puedes hacer para mejorar el lugar donde vives y con ello ganar un galardón?

Una visita inesperada

Bárbara Atilano Luna

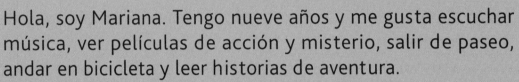

Hola, soy Mariana. Tengo nueve años y me gusta escuchar música, ver películas de acción y misterio, salir de paseo, andar en bicicleta y leer historias de aventura.

El viernes llegaron de visita a la casa mi tía Sol y mi prima Laura; entonces pensé: "¡qué mala suerte!, yo quería ir al cine con mis amigas".

A la hora de la comida, mi mamá comentó que de regreso a casa había bastante tráfico, algunas calles estaban cerradas y se escuchaba la sirena de los bomberos que apresurados se abrían paso entre los autos.

—¡Qué triste que sucedan accidentes! —dijo mi papá.

—Casi siempre que vemos pasar a los bomberos es porque van a apagar un incendio. Lo peor —comentó Laura— es que muchas de esas situaciones se pudieron evitar…

Sorprendidos por su comentario, todos volteamos a verla. Entonces, mi tía Sol comentó que es voluntaria en la estación de bomberos de su localidad, y que Laura en una visita a la estación hacía unas semanas había quedado sorprendida con todo lo que vio.

Laura comentó emocionada que en la estación le explicaron qué hacer para prevenir un incendio y cómo actuar en caso de estar en uno. La estábamos escuchando con tanta atención que enseguida mi tía nos invitó a visitar la estación de bomberos para vivir la experiencia que tenía tan animada a Laura…

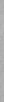

La invitación nos entusiasmó mucho, ya que nunca habíamos estado en una estación de bomberos.

Al día siguiente nos levantamos muy temprano. Yo, por supuesto, estaba muy ansiosa. Después de desayunar fuimos a la estación. Al llegar encontramos a varios bomberos que acomodaban equipo e instrumentos, otros limpiaban los vehículos y, al fondo en una oficina, una mujer con su uniforme impecable atendía una llamada de emergencia.

El comandante Raúl Álvarez, primer inspector y responsable de la estación, nos dio la bienvenida y nos invitó a recorrer el lugar.

Mientras nos mostraba las instalaciones, el comandante nos explicó que el mayor número de servicios que atienden son para apagar incendios, ya sea en casas, empresas o bosques; aunque también reciben otros llamados para auxiliar a las personas en inundaciones, remover enjambres de abejas o apoyar en choques vehiculares.

De pronto, cuando caminábamos por uno de los pasillos de la estación, apareció ante nosotros un cartel con una fotografía de un incendio impresionante. Con letras muy grandes, se leía una pregunta: "¿Sabes cómo actuar si se declara un incendio?" Y debajo de la imagen, un texto que decía: "El mejor plan para prevenir incendios es asegurarse de que nunca llegará a declararse uno."

Mi tía nos explicó que para que se produzca fuego es necesario que se den simultáneamente tres factores: combustible, oxígeno y calor o energía. Comentó que un incendio sucede cuando el fuego está fuera de control y que, según su magnitud, puede provocar pérdidas de vidas humanas, daños materiales o interrupción de servicios.

Mi mamá preguntó muy seria:

—¿Qué ocasiona un incendio?

El comandante Álvarez mencionó que la mayoría de los incendios ocurre en los hogares, y que en muchas ocasiones es por descuido; por ejemplo, al saturar los contactos eléctricos conectando varios aparatos en uno solo. También ocurre al arrojar cerillos o colillas de cigarro prendidas a los botes de basura o por dejar veladoras encendidas en lugares inseguros.

Al escuchar esto recordé que en casa conectamos el refrigerador, la licuadora y el horno de microondas en el mismo enchufe, además de que en la casa de mi abuelita siempre hay veladoras encendidas. Y lo peor, a mis primos y a mí nos gusta jugar con cohetes. ¡No me imaginaba que eso fuera tan peligroso!

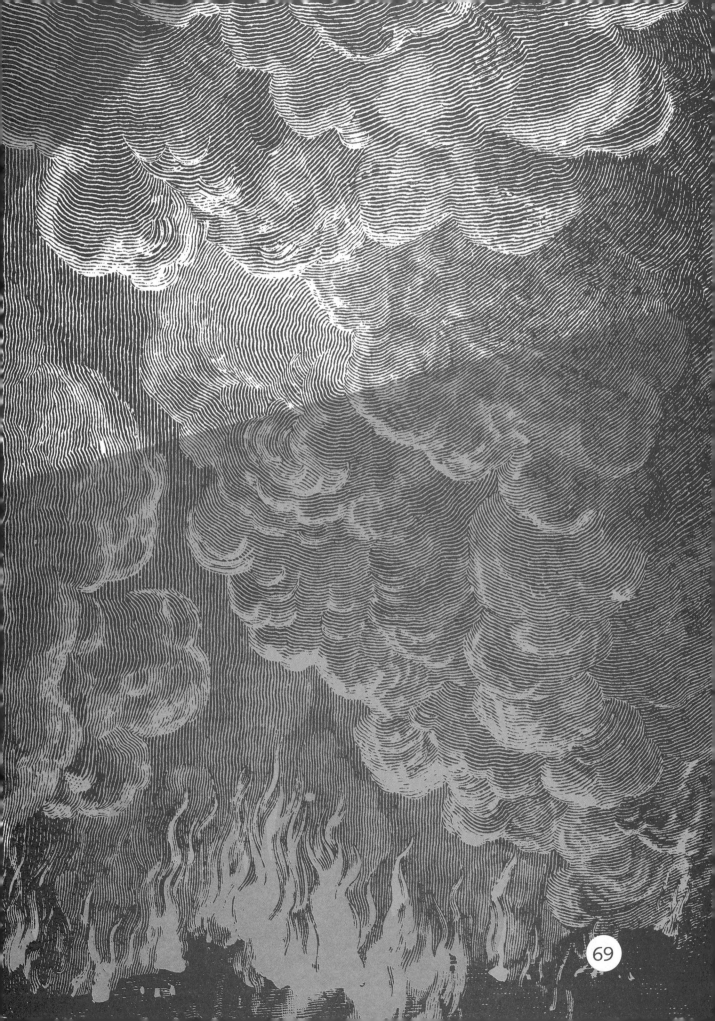

Entonces pregunté cómo podríamos evitar un incendio. Enseguida Laura se apresuró a contestar:

—Es muy sencillo, sólo hay que tomar algunas precauciones, como conectar solo un aparato en cada enchufe, no almacenar sustancias inflamables en casa, vigilar el buen estado de los aparatos que funcionan con fuego, no jugar con cerillos, encendedores o cohetes...

De pronto entramos en una habitación donde se sentía mucho calor. Me sentí muy nerviosa y mi mamá casi sale corriendo. El comandante nos dijo que deberíamos permanecer tranquilos y mantener la calma. Seguimos caminando buscando la salida y, al ver una puerta, mi papá corrió para abrirla, pero el oficial gritó: —¡Cuidado! Primero deben asegurarse de que la manija y la puerta no estén calientes, pues si se percibe calor excesivo puede ser que haya fuego del otro lado de la habitación. Es muy importante que antes de tocar cualquier objeto pasen el dorso de la mano para verificar la temperatura.

Mi papá hizo lo indicado y, al notar que la temperatura era normal, abrió sin problema. Entramos al cuarto y de pronto comenzó a llenarse de humo. Buscamos con qué tapar la parte baja de la puerta para evitar que siguiera entrando más humo. Nos tiramos al piso e intentamos cubrirnos la nariz con parte de nuestra ropa. El oficial nos indicó que lo ideal era que los trapos estuvieran mojados o húmedos. Entonces comenzamos a gritar pidiendo

ayuda. De pronto, por la ventana
entró un bombero que, con ayuda
de otros compañeros, nos sacó del lugar.

Cuando todos estábamos a salvo, apareció
una persona corriendo envuelta en llamas.
Inmediatamente, los bomberos la cubrieron
con mantas y pedazos de tela, de manera
que el fuego se fue extinguiendo poco a poco.

Estaba impresionada, pues nunca había
pasado por algo así y sentí mucho miedo.

El comandante Álvarez nos dijo
que este evento estaba controla-
do, pero en un caso real no se tiene
dominio del fuego, así que era pri-
mordial que conociéramos las
medidas de seguridad que se deben
tomar en estos casos.

Camino de regreso a casa pensé que
la visita a la estación de bomberos
había sido más interesante que ir
al cine.

Adivinanza

Óscar Osorio Beristain

Mi presencia es milenaria,
en las culturas mesoamericanas.

Mi color es amarillo, verde o colorado,
según mi maduración.

Fruto seco, fresco o tostado,
de acuerdo con mi presentación.

Mirasol, Jalapeño y Serrano
son mis primos y hermanos.

Respuesta: el chile.

El sol de todos
Víctor Manuel Banda Monroy

Personajes
Juan
Paco
Javier
Adriana
Personas del público

El escenario muestra un parque en la ciudad. Al fondo, se ve que circulan autos y personas.

Entra un niño de 9 años.

Juan: He encontrado estas piezas de un rompecabezas *(las muestra al público; son cuatro piezas)* en las calles de mi ciudad. No he podido armar algo con ellas *(mientras habla intenta juntarlas, sin conseguirlo).* Me dijeron que se puede armar una figura llena de juegos y diversión, pero no puedo hacerlo. No sé qué hacer.

Entra Paco.

Paco: A mí, mi abuelita me regaló estas piezas de un rompecabezas. Me dijo que formaría con ellas una figura que
me ayudaría a ser feliz *(muestra cómo no encajan las piezas).* No encuentro cómo armarla. He recorrido todo el
mundo con ellas y nadie me ha podido ayudar.

*Juan y Paco siguen tratando de armar su rompecabezas. Entra
un niño vestido con ropas de comunidad indígena.*

Javier: Yo soñé anoche que la luna me daba estas piezas. Me
dijo que en el cielo no saben cómo las pueden juntar.
Necesitan que les ayudemos.

*Se quedan un rato sosteniendo las figuras. Cada uno de ellos
intenta armar su rompecabezas de manera independiente.
Buscan y buscan, pero no encuentran una solución, a pesar
de que cada uno no tiene más de cuatro piezas.*

*Juan se desespera y lanza las piezas lejos de él. Paco las deja en
el suelo y se retira a un rincón. Javier mira sus piezas con-
centradamente.*

*Entra Adriana brincando y cantando. Mira las piezas que aventó
Juan. Como no puede armar algo, trata de tomar una de las
piezas que abandonó Paco.*

Paco: Hey, no, esas piezas son mías.

Juan: Y las otras son mías, nada más.

Cada uno de ellos toma sus piezas y trata de juntarlas. Las piezas no coinciden. Adriana ayuda a Juan. No pueden armar nada. Luego ayuda a Paco.

No se puede. Se queda en medio. Mirándolos a los dos.

Adriana: ¿Por qué no se juntan?

Juan y Paco dudan. Juan intenta juntar su figura con la de Paco. Algunas piezas coinciden, pero sigue faltando algo. Adriana le hace señas a Javier para que se acerque con sus piezas. Éste también duda. De nuevo intenta armar sus piezas solo: no puede. Nada concuerda.

Al fin se deciden y tratan de armar algo entre todos. Por fin, los tres niños muestran una figura casi completa al público: es un sol brillante y sonriente. Sin embargo, le faltan varias piezas.

Tres niños del público se levantan, llevan en sus manos las piezas faltantes; las acomodan. El sol está completo.

Adriana: ¿Vieron? Se necesita de todos para que se puedan armar las figuras que nos ayudan a vivir.

Juan: Si dejan a uno afuera, no se pueden juntar todas las piezas.

Paco: Si sacamos a uno, perdemos todos.

Adriana: *(Al público.)* Y también los necesitamos a ustedes.

Javier: Sí, vengan.

Los tres niños ayudan a varias personas del público a pasar a la parte central del escenario. Con piezas de cartón arman rápidamente varias figuras y las muestran. Es la imagen de varios planetas y soles juntos.

Adriana: Y si ustedes trabajan con otros, armarán una gran figura que nos ayudará a ser felices.

Paco: Y a divertirnos con más gente.

Todos ríen. Una música alegre los invita a bailar.

Domingo 14 de junio de 1942

El viernes 12 de junio me levanté antes de la seis, lo que se entiende, ya que era mi cumpleaños. Mi primera sorpresa fuiste tú, un diario, el más hermoso regalo.

Sábado 20 de junio de 1942

He llegado al punto donde nace toda esta idea de escribir un diario: no tengo ninguna amiga. Este diario será mi amiga a la que llamaré Kitty. Para ser más clara tendré que añadir una explicación, porque nadie entenderá cómo una chica de trece años puede estar sola en el mundo. Es que tampoco es tan así: tengo unos padres muy buenos y una hermana de dieciséis, y tengo como treinta amigas en total, entre buenas y menos buenas. Para que me conozcas mejor, tendré que relatar la historia de mi vida.

Nací en Alemania, en Frankfurt, pero como somos judíos, mi padre se vino a Holanda en 1933. Después de mayo de 1940, los buenos tiempos quedaron definitivamente atrás: primero la guerra, luego la capitulación, la invasión alemana, y así comenzaron las desgracias para nosotros los judíos. Las medidas antijudías se sucedieron rápidamente y se nos privó de muchas libertades. Los judíos deben llevar una estrella de David; deben entregar sus bicicletas; no les está permitido viajar en tranvía o en coche; no pueden ir a cines, teatros ni a casa de cristianos, y otras cosas por el estilo.

Miércoles 8 de julio de 1942

¡Margot ha recibido un citatorio! Mamá ha comentado que no irá y que nos ocultaremos, junto con los Van Daan y su hijo Peter en un anexo en el inmueble de las oficinas de papá. Seremos siete en total. Nos vestimos como si fuéramos al Polo Norte por la cantidad de ropa que llevamos. Sólo me despedí de mi gato Mauret, que se quedó con nuestros vecinos. Teníamos que irnos rápidamente.

Sábado 11 de julio de 1942

Como escondite, nuestro anexo es ideal; aunque hay humedad y está todo inclinado. Pero me siento oprimida por el hecho de no poder salir nunca y tengo muchísimo miedo de que seamos descubiertos y fusilados.

Miércoles 21 de agosto de 1942

No hago gran cosa en materia de estudios. He decidido estar de vacaciones hasta septiembre. Luego papá será mi profesor, pues temo olvidar mucho de lo que aprendí en la escuela.

Las personas escondidas adquieren experiencias curiosas. No tenemos bañera y nos lavamos en una tina, por turnos. Como no tenemos champú, debemos arreglarnos con un jabón verde todo pegajoso. El pan nos lo trae un amable panadero que conocemos. Compramos clandestinamente tarjetas de racionamiento, cuyos precios no cesan de subir.

Viernes 9 de octubre de 1942

Hoy no tengo más que noticias desagradables y desconsoladoras para contarte. A nuestros numerosos amigos y conocidos judíos se los están llevando en grupos. La Gestapo (policía) los carga nada menos que en vagones de ganado y los envían a Westerbork, el gran campo de concentración para judíos en la provincia de Drente. Huir es prácticamente imposible. La radio inglesa habla de cámaras de gases. Sabemos que a la mayoría los matan. Después de todo, quizá sea la mejor manera de morir sin sufrir tanto. Esto me enferma.

Miércoles 10 de noviembre de 1942

Una noticia formidable: ¡vamos a recibir a una persona en nuestro escondite! Un dentista llamado Albert Dussel, quien me ha pedido toda clase de informaciones, por ejemplo, cómo nos arreglábamos para el baño y las horas de acceso al W.C.

Viernes 24 de diciembre de 1943

Créeme: después de un año y medio de estar enclaustrada, hay momentos en que la copa se desborda. No me es posible ahuyentar mis pensamientos. Ir en bicicleta, ir a bailar, poder silbar, mirar a la gente, sentirme joven y libre.

Martes 4 de abril de 1944

Si la guerra no termina en septiembre, nunca volveré a la escuela porque ya no recuperaría los dos años perdidos. Quiero estudiar para salir adelante, para no ser ignorante, para ser periodista. Quiero seguir viviendo, aun después de morir. Por eso le doy gracias a Dios que, desde mi nacimiento, me dio una posibilidad: la de desarrollarme y escribir, es decir, la de expresar todo cuanto acontece en mí.

Domingo 16 de abril de 1944

Recuerda bien el día de ayer, pues es muy importante en mi vida. Recibí un beso de Peter. Mis amigas podrían decir que es una vergüenza, pero yo no lo encuentro vergonzoso para nosotros que nos encontramos privados de todo.

Jueves 25 de mayo de 1944

Todos los días pasa algo. Nuestro proveedor de verduras fue arrestado: tenía a dos judíos en su casa. Lo único que nos queda hacer es comer menos. Mucho me pregunto si no hubiese sido mejor ser atrapados y morir antes de pasar por estas calamidades.

Martes 6 de junio de 1944

Esta mañana, a las ocho, la BBC anunció el bombardeo en gran escala de los aliados. ¡Oh, Kitty!, pronto podré estar con mis amigos. Quizá sea la nostalgia del aire libre después de estar lejos de él por tanto tiempo. Añoro tanto la naturaleza.

Sábado 15 de julio de 1944

Es asombroso que no haya abandonado todas mis esperanzas, puesto que parecen absurdas e irrealizables. Sin embargo, me aferro a ellas, a pesar de todo, porque sigo creyendo en la bondad que nace del hombre. Me es absolutamente imposible construirlo todo sobre una base de muerte, de miseria y confusión. Cuando miro al cielo, tengo fe en que todo volverá a ser bueno, que hasta estos días desesperados tendrán fin, y que el mundo conocerá de nuevo el orden, el reposo y la paz.

Viernes 21 de julio de 1944

Existen cada vez más razones para tener confianza. ¡Noticias increíbles! Intento de asesinato contra Hitler, no por judíos, comunistas o por capitalistas ingleses, sino por un general de la nobleza germánica, un conde y un joven, por supuesto. La Providencia Divina ha salvado la vida del Führer que sólo sufrió algunos rasguños y quemaduras. El criminal principal ha sido fusilado.

Epílogo

El 4 de agosto de 1944, la Feld-Polizei, que había recibido la información de los vecinos, descubrió el escondite de los Frank, los arrestó y envió al campo provisional de Westerbork. En septiembre de 1944, los nazis deportaron a los Frank al campo de exterminio Auschwitz-Birkenau. En diciembre de 1944, Ana y su hermana Margot fueron transferidas al campo de concentración de Bergen-Belsen, en el norte de Alemania. Murieron de tifus en marzo de 1945, un mes antes de la liberación del campo. La madre de Ana fue asesinada en Auschwitz. Sólo Otto, el padre, sobrevivió la guerra.

*Texto proporcionado por Tribuna Israelita, A. C., Institución de Análisis y Opinión de la Comunidad Judía en México.

Petr Ginz*

Petr Ginz nació en Praga, en 1928. Tras la ocupación de Checoslovaquia, en marzo de 1939, fue preso en los campos del gueto de Terezín, República Checa, donde pasó su adolescencia en un hogar para niños.

Aunque era muy joven, gracias a su gran talento como dibujante y escritor, fue nombrado editor del periódico *Vedem*, que servía a los jóvenes de la resistencia.

A pesar de su gran talento, Petr no fue ajeno a la brutalidad nazi. En el otoño de 1944, fue deportado a Auschwitz, donde pereció en las llamas del crematorio.

Sus diarios, que narran su estancia en Theresienstadt, fueron publicados en *The Diary of Petr Ginz, 1941-1942*, por Atlantic Monthly Press, en Nueva York, en 2004, gracias a su hermana, quien sobrevivió al holocausto y se fue a vivir a Israel.

En su dibujo *Paisaje de la Luna* transmite su gran deseo de llegar a un lugar, lejano a la Tierra, donde su vida no corriera peligro y se sintiera seguro.

Este dibujo le fue entregado al primer astronauta israelí, Ilán Ramón, quien lo llevó consigo al espacio en su viaje en el Transbordador Espacial Columbia, en 2003.

*Texto proporcionado por Tribuna Israelita, A. C.

La vocal perdida
Carlos Ramos Burboa

Daniel despertó ese día como todos los días. El sol brillaba espléndido a través de la ventana, y se oía el alegre canto de los pájaros en el jardín. Mamá y papá estaban en la cocina. Él leía el periódico del día y ella preparaba la torta para el colegio.

Pero Daniel percibía algo mal dentro de la aparente normalidad. El canto de los pájaros sonaba distinto, como si no entonaran la misma melodía de siempre. Se acercó a la ventana y, mientras apreciaba el trino de las aves, dejó la mente en blanco, así pensaba mejor. Entonces oyó esa voz: "¡Halla la vocal perdida!"

Daniel comprendió. Por eso los pájaros sonaban distinto. ¡Debía encontrar la vocal extraviada!

Como no deseaba contrariar a los padres, decidió darse prisa para vestirse y encontrar por sí mismo la vocal perdida; no podía andar lejos.

Y, dicho y hecho, se vistió como de rayo, se peinó frente al espejo, y empezó a rastrear a la traviesa vocal.

Rastreó por toda la casa y ¡NADA!

Rastreó todo bien y ¡TEN!

Rastreó por todo el jardín y ¡SIN!

Rastreó sobre el sillón y ¡NON!

¿Dónde podría estar la traviesa vocal? Se acordó de la maestra del colegio. Ella siempre decía: "En los libros está todo el conocimiento".

Entonces tomó el libro más a la mano del librero de la sala y lo abrió por la mitad. El libro, lleno de historias para niños, tenía este encabezado: "LA VOCAL PERDIDA".

Comenzó a leerlo. El niño de la historia despertaba y echaba de menos a la traviesa vocal desaparecida. Y no podía encontrarla. Al terminar de leer, Daniel estaba como al principio. El niño del libro era como él, pero la historia parecía sin final, como si al escritor se le acabara la tinta antes de escribir la frase definitiva.

Daniel permaneció otra vez con la mente en blanco; como ya sabemos, así pensaba mejor. El libro tenía grabados. El niño representado en esta página era parecido a Daniel, y tenía en las manos el mismo libro, con el encabezado: "LA VOCAL PERDIDA".

La vocal perdida... la vocal perdida... repitió Daniel varias veces. De pronto, la idea salvadora apareció en el blanco tapiz del pensamiento. Entonces volvió a leer la historia del libro desde el principio, pero esta vez lentamente, tratando de identificar todas las vocales, con lo que, pensaba, aparecería la extraviada. Y al final lo tenía todo claro. ¡La vocal perdida no aparecía en toda la historia!

Entonces tomó el lápiz del escritorio y anotó en el libro la frase final, la necesaria para completar la historia:

Rastreó en el viejo baúl y ¡LA TENÍAS TÚ!

René Hernández Rivera y su pasión por los dinosaurios

Mónica Genis Chimal

¿Cuál será el dinosaurio más grande o cuál el más pequeño? ¿Te imaginas haber conocido al *Tiranosaurio Rex*?

Él sabe todo de los dinosaurios: cuánto medían, qué comían, dónde vivían, pero lo más interesante es que él ha encontrado restos de dinosaurios que vivieron aquí, sí, aquí en México.

Hasta ahora no he conocido a nadie que no le fascinen los dinosaurios, esos increíbles animales que se originaron hace unos 235 millones de años, pero ¿qué los hace tan interesantes para él?

René Hernández Rivera es un experto en dinosaurios. Cuando platicas con él te cautiva y te transporta millones de años atrás, y los describe de tal manera que ya los estás viendo en tu imaginación.

90

Una de las razones por las que se dedicó a estudiarlos es que le pareció muy interesante que este grupo haya vivido tantos años y haya existido de tantas formas, por ejemplo, con alas o sin ellas; también los hubo pequeños y enormes, unos comían carne, otros plantas, otros tenían filosos dientes y colores llamativos.

De las cosas que llaman su atención es que fue un grupo de animales que vivió aproximadamente 170 millones de años. Ellos tuvieron las características necesarias para enfrentar cualquier problema: como el frío, el calor, la falta de alimento, fuertes tormentas y otros problemas; por eso, llegó un momento en que ya no pudieron vivir más en nuestro planeta y se extinguieron.

Para que René Hernández llegara a ser un experto en dinosaurios tuvo que estudiar paleontología; es decir, a los seres vivos que existieron hace millones años. Su vida como científico es muy emocionante porque ha encontrado restos de estos fascinantes animales en nuestro país. Aunque tú no lo creas, en México vivieron muchos dinosaurios, sobre todo en Sonora, Coahuila, Chihuahua y Baja California, y también se han encontrado restos en Michoacán, Oaxaca, Puebla y algunas pistas en Chiapas.

Uno de los momentos más importantes de su vida es haber encontrado y armado el primer dinosaurio hecho por un grupo de científicos cien por ciento mexicanos. Este proyecto empezó en 1988, al gran dinosaurio lo bautizaron con el nombre de Isauria. Las réplicas de Isauria las puedes encontrar en el Museo de Geología y en el Universum, Museo de las Ciencias, ambos de la UNAM.

Otro de los proyectos favoritos fue haber encontrado el Sabinosaurio, otro dinosaurio que vivió en México. Se llama así porque los restos se descubrieron en un lugar llamado Sabinas, en el estado de Coahuila. Este dinosaurio tenía un pico muy parecido al de un pato y medía, desde la punta de la cola hasta la punta de la nariz, ¡14 metros!

Uno de los dinosaurios endémicos, es decir, que nació, creció y murió en México fue el *Velafronts coahuilensis,* que también tenía un pico como el del pato, pero la diferencia es que tenía una cresta en su cabeza y comía de todas las plantas que tenía a su alrededor.

Pero, ¿cómo saben los paleontólogos qué comían, cuánto medían y cómo vivían los dinosaurios? Ante todo, los paleontólogos son como detectives; se especializan en ser grandes observadores, por eso buscan pistas que les ayuden a reconstruir la historia de la vida, en este caso, la vida de los dinosaurios.

Las pistas que necesita René Hernández son los fósiles: los restos de plantas, frutas, huesos e insectos que se quedaron pegados en las rocas, no importa que pasen miles incluso millones de años, ahí se quedan estas pistas bien cuidadas. Cuando encuentra estas rocas, las observa y las lleva a los laboratorios para estudiarlas con mucho cuidado. A través de los fósiles de dientes, por ejemplo, puede saber si comían carne o plantas. Las pisadas son otras pistas importantísimas, a través de ellas se puede conocer el tamaño, peso y comportamiento, por ejemplo, si viajaban en grupo o solos.

La oficina en donde trabaja René Hernández no es nada común, está al aire libre, su herramienta principal no es una

computadora, sino su libreta de notas en la que apunta cada detalle: fecha, hora y las características de cada pista que encuentra; en su mochila también puedes encontrar una cámara digital de video y fotográfica, su martillo y un GPS, aparato que te indica en dónde estás y a dónde debes ir; también necesita una sustancia que sirve para endurecer cada resto que encuentra.

En un día común de trabajo, René se levanta, desayuna y se prepara para una larga caminata. Cuando encuentra algún fósil tiene que identificar si está bien cuidado, luego se prepara para sacarlo, ya que lo tiene fuera lo envuelve en papel de baño y lo guarda en una bolsa de colecta; para seguir buscando debe marcar el lugar. Luego de varios días de excavación regresa al laboratorio para estudiar todos los restos que encontró.

René Hernández Rivera sigue disfrutando su trabajo, además de buscar restos de dinosaurios en México, ha ido a muchas partes del mundo; una de sus mejores experiencias ha sido en China, porque lo invitaron a buscar pistas y confirmar la idea de que los dinosaurios son los antecesores de las aves.

Una de las mejores recomendaciones que tiene René Hernández para todos los apasionados de los dinosaurios es leer mucho, sobre todo para que no se queden con información equivocada; por ejemplo, es un mito que los dinosaurios vivieron con los humanos como lo presentan algunas películas; así es que ya saben, no hay mejor manera de conocer que leyendo.

¡Cuántas palabras!

Antonio Domínguez Hidalgo

Yo tengo muchas palabras
con las que juego y rejuego.
Las hago nudos y nudos
y las desato de nuevo.

Luego las pongo a bailar
con la música del eco
y en cada ronda con ellas
hago hablar hasta el silencio.

Las palabras son soldados
que los hago combatir
y al final de la batalla
se mueren por escribir.

Las palabras son carruajes
que nos llevan a las ferias
donde un carrusel de cuentos
en vueltas se deletrean.

Palabras, no estén dormidas.
Ya las quiero despertar.
No sean flojas palabrillas,
vamos, vamos a cantar.

Sálganse del diccionario
para poderlas juntar.
Si no fuera por ustedes,
con quién voy a platicar.

Qué grande amigo eres tú,
mi diccionario de escuela,
porque siempre encuentro en ti
las palabras que me esperan.

97

Mi amigo el árbol

Martha Judith Oros Luengo

Cuando José Luis nació, sus padres sembraron un árbol a la orilla del río, cerca de su comunidad. Ambos fueron creciendo a la par. El papá del niño le enseñó a cuidarlo; cada día lo llevaba hasta el lugar donde se encontraba sembrado para regarlo y removerle la tierra. José Luis sabía que era su árbol y con dedicación aprendió a cuidarlo y quererlo.

Un día, al salir de la escuela, José Luis lloraba mientras trataba de explicarle a su mamá que estaba triste y muy preocupado porque iban a cortar su árbol para elaborar papel. La maestra les había explicado el proceso de fabricación de papel, para lo cual era necesario talar muchos árboles. Les dijo también que, con la madera que se obtiene de los árboles, se fabrican diferentes tipos de muebles, puertas, lápices de grafito y de colores, y diversos artículos que hay en los hogares, escuelas y oficinas.

Para fabricar el papel, se requiere de la celulosa que se extrae de los árboles; es una pulpa preparada con la madera triturada y mezclada con agua. Con ella, se forma una pasta a la que se añade color o blanqueador, se pasa por rodillos para obtener un lienzo largo y liso que es extendido sobre rejillas para escurrir el agua sobrante; después de secarse, quedará convertido en láminas de papel.

Al niño le pareció muy interesante la clase; sin embargo, la idea de cortar los árboles para fabricar papel y muebles no le agradó en lo absoluto. No podía aceptar que se cortaran tantos árboles, y menos el suyo. A ese árbol, con el que creció y al que aprendió a cuidar, lo consideraba su amigo, por lo tanto, no permitiría que lo cortaran.

Entonces, le preguntó a su mamá si había forma de salvarlo.

—Mira, hijo —respondió la mamá—, yo sé que muchos árboles se utilizan para esa industria, pero existen diferentes maneras para ayudar a salvarlos de terminar en el aserradero.

—¿Es cierto, mamá? ¡Qué bien! Dime, entonces, ¿qué puedo hacer para ayudar a conservar muchos árboles con vida? —preguntó el niño.

—Bueno, lo primero que debes hacer es cuidar tus cuadernos, libros y todos tus útiles. También es conveniente no desperdiciar el papel en el que escribes, debes utilizar ambas caras de las hojas y, desde luego, no arrancarlas del cuaderno. Otra medida es reutilizar los cuadernos ya usados cuando aún tienen hojas limpias para utilizarlos en otro ciclo escolar. Por otra parte, también puedes aprender a reciclar el papel. ¿Quieres que te lo explique?

El niño asintió gustoso y puso mucha atención a las indicaciones que le decía su mamá. Ella le explicó un sencillo procedimiento para obtener papel reciclado, utilizando, como base de recursos, el papel usado. Con el papel ya reciclado se pueden fabricar cuadernos de notas, tarjetas de felicitación y otras manualidades; así como diversos artículos para el hogar, como lámparas, marcos para fotografías y pinturas u otros objetos decorativos.

Al día siguiente, José Luis les platicó a sus compañeros y a su maestra todo lo que ahora sabía para salvar muchos árboles como el suyo y ayudar a proteger el ambiente. Él pensó que todos podrían colaborar en su lucha, haciendo una campaña para reforestar su localidad. Si cada uno de ellos plantara al menos un árbol y lo cuidara sería una gran labor. Mejor aún, si en cada escuela o en cada familia hicieran lo mismo, sería un esfuerzo conjunto por una gran causa.

La reunión de las frutas

Estela Maldonado Chávez

Al fondo del comedor
una porra se escuchó,
en el frutero amarillo
el limón así gritó:
"Las frutas se han enojado,
porque este niño comió
charritos y papas fritas
y a nosotros ni nos vio."

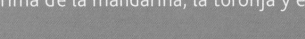

¡Que viva! Dicen las frutas,
viva el limón que gritó,
porque los niños de ahora
no quieren comer mejor.
La naranja habló primero:
"gran alimento yo soy,
prima de la mandarina, la toronja y el limón".

Después habló la manzana:
"Roja o verde soy mejor,
es mi parienta la pera
y suculenta yo soy."
Se levantó la cereza
y también alzó la voz:
"Yo soy prima de la fresa,
de las frutas la mejor".

En un rincón se quedaron
el melón y la papaya,
las uvas y las bananas,
los mangos y la pitaya.
De repente así gritaron:
"¡Viva, viva esta reunión!

Que venga el niño y entonces
le diremos la razón.
Frituras y chicharrones
no te van a alimentar,
las golosinas te dañan
y muy obeso estarás.
Ven corriendo acá al frutero,
que te haremos disfrutar,
somos las frutas, que sano
siempre te han de conservar."

Grandes mujeres medallistas
Martha Liliana Huerta Ortega

¿Alguna vez has imaginado ser parte de la celebración de los Juegos Olímpicos o representar a tu país en algún deporte? ¿Cuáles serían tus sentimientos al recibir la presea y escuchar las notas del Himno Nacional Mexicano? Seguramente, estos sueños los tuvieron alguna vez las deportistas de nuestro país que ahora son campeonas y medallistas.

Paola Espinosa Sánchez participó de manera individual en los Juegos Deportivos Centroamericanos y del Caribe, en El Salvador en 2002, donde ganó dos medallas de oro: la primera, en la prueba de trampolín de un metro, y la segunda, en trampolín de tres metros.

En 2003, concursó en esta misma especia-
lidad al lado de Laura Sánchez en el Campeonato Mundial de Barcelona, competencia en
la que conquistaron la medalla de bronce.
En los Juegos Panamericanos de Santo
Domingo, celebrados en agosto de
ese mismo año, Paola Espinosa
volvió a hacer pareja con
Laura Sánchez y logra-
ron dos medallas de
plata en clavados

sincronizados; una en trampolín de tres metros y otra en plataforma de 10 metros.

Paola ha demostrado su compañerismo y entrega en diferentes momentos; tanto con Laura Sánchez, como con Tatiana Ortiz Galicia, quien fue su compañera en otras competencias.

Otra medallista destacada fue Tatiana Ortiz Galicia, la primera clavadista mexicana en debutar y subir al podium en unos juegos olímpicos. Fue abanderada en la ceremonia de inauguración mostrando al mundo entero la belleza de nuestra bandera. Es ganadora de una presea de plata en la plataforma de 10 metros sincronizado en los XV Juegos Panamericanos, en Río de Janeiro, Brasil, 2007.

El 12 de agosto de 2008, las clavadistas compitieron en los Juegos Olímpicos de Beijín, en la prueba de sincronizados en

plataforma de 10 metros. Obtuvieron un puntaje de 330.06, lo cual fue un resultado satisfactorio, que trajo como resultado la medalla de bronce.

Por eso, estas dos mujeres mexicanas son representativas de nuestro país. Ellas siguieron su sueño de la infancia con entrega, dedicación, entereza y valentía. Así como algún día ellas lo hicieron, ¿alguna vez tú podrías hacerlo?

Imaginando ser parte de la celebración de los juegos olímpicos, representando a tu país en algún deporte, tú también podrías lograrlo si lo deseas con toda tu fuerza. Si te aplicas, dedicas tiempo y esfuerzo, y no desmayas ante los obstáculos, algún día estarás en el pódium con una medalla de oro para México.

Diego y la paloma*

Diego no tenía hermanos. Su mamá ya le había explicado que por el momento no estaba en los planes de la familia que ésta fuera a crecer. Por eso mismo, tenía muchas ganas de tener un amiguito para poder jugar desde muy temprano en la mañana; alguien a quien abrazar y querer mucho. Su amiga Valeria le había platicado que el mejor amigo del hombre es el perro, así que pensó en que la mejor opción era comprar un hermoso cachorrito para hacerse compañía.

Diego, emocionado, fue con su mamá para pedirle que lo acompañara a comprar un perrito con el ahorro de sus domingos, pero sintió una gran tristeza cuando su idea fue rechazada. Entonces le pidió un gatito, diciéndole que era más chiquito y no daría molestias en la casa, pero ella insistió en que no era el momento de tener un animal.

Él, desconsolado, le preguntó por qué no. Su mamá le hizo un cariño en la mejilla y lo sentó en sus piernas para explicarle:

—Mira, hijo, no siempre podemos tener todo lo que deseamos. A veces no nos alcanza el dinero, no tenemos suficiente edad o necesitamos informarnos más sobre lo que queremos… Y yo creo que no has pensado en todo lo que tendrías que hacer si tuvieras un perrito u otro animal.

—Sí, mami: jugar con él, darle de comer y quererlo mucho —contestó Diego.

—Eso está muy bien —le respondió su mamá, sonriendo—, pero si vas a ser el responsable de cuidarlo hay más cosas que debes saber, como qué come, cada cuándo y en qué cantidad; cuáles son las vacunas que necesita, qué de-

bes hacer para que no se enferme y pueda vivir mucho tiempo con nosotros… Y aparte de todo eso, también tienes que ir a la escuela, hacer la tarea y salir a jugar con tus amigos, ¡así que no te quedaría tiempo libre para nada más!

—¿Todo eso debo saber para poder tener una mascota conmigo? —preguntó Diego a su mamá, a lo que ella contestó:

—Y no sólo eso, ¿te has puesto a pensar en cuánto cuesta, dónde vas a comprarlo, qué raza te conviene… ¿Crees que

te alcance con tus domingos? Y si se enferma, ¿con quién lo llevarás para que lo cure? ¿O crees que la tienda te debe cambiar la mascota o devolverte tu dinero?

Diego se quedó callado. Realmente, jamás se le hubiera ocurrido que tener una mascota era un asunto tan complicado. Casi le dolía la cabeza de tanto pensar.

—Y otra cosa, Diego —le dijo su mamá poniéndose seria—, no se vale traer a casa una mascota y arrepentirse después. Los animales tienen sentimientos, y también de eso somos responsables. No son juguetes que puedas abandonar si te aburren, sino seres sensibles... ¿Ves cómo comprar una mascota no es tan sencillo? Mejor, ¿qué te parece si piensas bien en otra cosa que te gustaría comprar con tus ahorros? ¡Hay muchas opciones para elegir! Por ejemplo, podrías usar tu dinero para comprar unos patines, una bicicleta o una pelota...

—¡O la mochila que vimos el otro día en el mercado! —interrumpió Diego más animado.

Ella asintió, sonriendo.

—Exactamente, hijo. Y veo que te emociona pensar en la mochila que tanto te gustó. Me parece que esa es una buena decisión de compra, creo que estás eligiendo muy bien cómo gastar tus ahorros, porque además te será de mucha utilidad.

Y así fue que, con sus ahorros, Diego compró su mochila. Y para no quedarse con las ganas de una mascota, decidió adoptar una paloma que diario se paraba en el borde de su ventana: le ponía arroz, le platicaba sus secretos, y ella lo escuchaba siempre con mucha atención ladeando la cabeza de forma muy chistosa.

*Texto proporcionado por la Procuraduría Federal del Consumidor.

111

Cricket contra el monstruo sin dientes

Hugo Alfredo Hinojosa

El pequeño Cricket nunca habría imaginado que necesitaría la ayuda de sus compañeros para vencer al monstruo que lo atemorizaba desde hacía varias semanas. Cada noche, mientras Cricket soñaba con sus muñecos, sentía cómo le jalaban los dientes intentando arrancárselos. Tan desafortunada era la suerte de este niño que, en una ocasión, despertó y logró ver la sombra del culpable que rápido salía por la ventana de su cuarto hasta perderse entre los árboles del patio de la casa. Una mañana, después de semanas de terror, Cricket se paró en medio del patio de la escuela, justo afuera de su salón y gritó: "todos los niños de mi grupo… reportarse de inmediato en el patio, ¡en marcha!"

Desde hacía varios meses, Cricket estaba molesto la mayor parte del tiempo, porque sus compañeros de la escuela eran distintos a él. Decía sentirse extraño al estar en el mismo lugar que los gemelos cíclopes, por ejemplo, quienes lograban ver hasta el más mínimo detalle, ya fuera de día o de noche; o cómo el pequeño Peck, dueño de unas orejas tan grandes, que alcanzaba a escuchar cuando alguien, del otro lado del mundo, gritaba "¡goool…!" Cricket, por su parte, además de ser muy inteligente, arrastraba unos inmensos dientes que le fueron heredados por su padre. La mamá de Cricket, preocupada por el enojo del chiquillo, le explicó que nadie se parecía a nadie: —Ni tu papá ni yo somos iguales —dijo—, ni tú eres del todo igual a nosotros, ni a tus abuelos, pero no es nada malo, todos tenemos algo que ofrecer… Sólo necesitas conocer mejor a tus compañeros—. Cricket no quedó muy convencido con la explicación, guardó silencio y continuó sin comprender por qué los demás no estaban tan dientones como él.

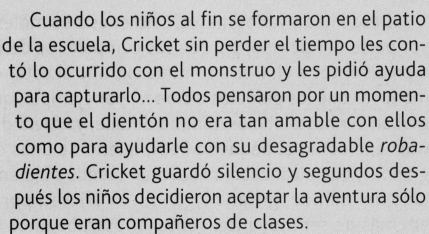

Cuando los niños al fin se formaron en el patio de la escuela, Cricket sin perder el tiempo les contó lo ocurrido con el monstruo y les pidió ayuda para capturarlo... Todos pensaron por un momento que el dientón no era tan amable con ellos como para ayudarle con su desagradable *robadientes*. Cricket guardó silencio y segundos después los niños decidieron aceptar la aventura sólo porque eran compañeros de clases.

Ese mismo día por la noche, el diminuto Peck, además de los gemelos cíclopes, el Cicciolino con su gran lengua y un excelente sentido del gusto, y junto con Diego el bárbaro y sus puños enormes, acamparon en la habitación de Cricket en espera del monstruo. Un par de horas después, el sueño logró vencer a los diminutos guerreros; los niños roncaban, hablaban dormidos, se chupaban el dedo y, justo cuando nadie más lo imaginó, el *robadientes* apareció entre la oscuridad intentando arrancar las muelas de cada uno de los niños hasta que, por error, le jaló la lengua a Cicciolino, quien dio grito tan largo y fuerte que despertó a todos...

Cricket y los demás pronto se incorporaron y salieron en busca del monstruo que ya corría atravesando el patio de la casa. Sin esperar nada, Diego rompió una de las paredes del cuarto y todos marcharon entre los árboles guiados por los gemelos cíclopes que indicaban la ruta a seguir; Cicciolino, por su parte, probaba las hojas de los árboles para no perder el rastro del monstruo.

Después de varios minutos de persecución dejaron de ver la sombra del *robadientes*, se quedaron quietos entre la oscuridad hasta que Peck escuchó el rechinido de una puerta y corrieron hacia donde el niño orejón les señaló.

El ruido los llevó hasta una vieja casa de ladrillos y entraron sigilosamente intentando no espantar al monstruo. Veinte pasos después llegaron a una habitación en penumbra donde apenas se veían sobre las paredes algunas fotografías extrañas de personas dientonas… Cricket al darse cuenta de esto guardó silencio y, dando un gran suspiro, dijo: "son fotos de mi familia".

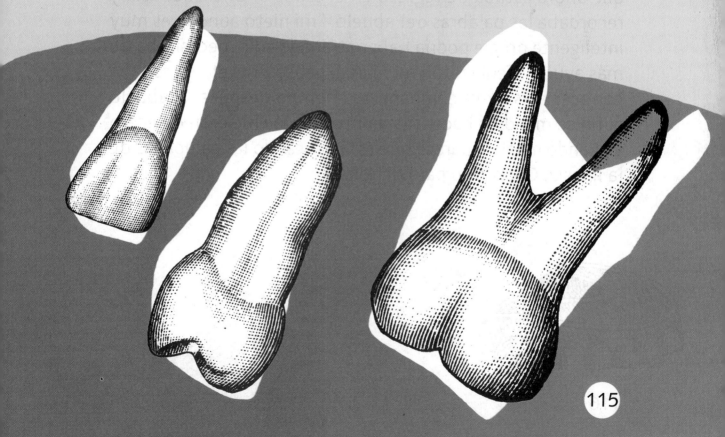

"¡Buenas noches!", cuando se escucharon estas palabras, los niños pegaron un grito y se encendieron las luces del cuarto. Era el abuelo de Cricket, el monstruo. Los niños voltearon a verlo y Cricket sin perder el tiempo le pidió una explicación. Tranquilo y sin dejar de reírse, el abuelo comenzó a narrar su historia: —Desde hace tiempo —dijo—, me comencé a quedar chimuelo, cosa que me da mucha vergüenza, así que todas las noches voy de casa en casa tratando de juntar los mejores dientes para hacerme una dentadura tan fuerte como la de mi nieto... Pero sí que son listos, niños —dijo el abuelo sonriendo—, mi nieto aunque es muy inteligente no me podría haber atrapado solo, necesitaba de más ayuda—. El abuelo de Cricket remató el momento al decir: —Pero no le digan a nadie de mi travesura—. Al escuchar estas palabras todos soltaron las carcajadas.

Al día siguiente en el patio de la escuela los niños contaban cómo habían logrado atrapar a un monstruo galáctico que ahora estaba de regreso en el espacio. Cricket se reía y recordaba las palabras del abuelo: "mi nieto aunque es muy inteligente no me podría haber atrapado solo, necesitaba de más ayuda". Tenía razón mi mamá, pensó Cricket, necesitaba conocer más a mis compañeros. Tiempo después, el abuelo al fin se mandó a hacer sus dientes. Se los hicieron de acero y cuando mastica parece que están tocando las campanas de la iglesia. Cricket no para de reírse.

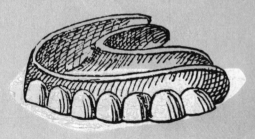

Desde chiquito, "picoso"

Julia González Quiroz

Todo empezó como una afición. Desde los siete años, a Ricardo le gustaban las peleas con reglas, réferi y jueces. Organizaba a sus compañeros por estatura y comenzaba la función y también la diversión. Seguramente aprendió muchas técnicas de su padre: don Pedro, quien en su juventud practicó con gran entusiasmo el boxeo.

Ricardo nació en 1947 y a los 18 años peleó su primer combate en un *ring*. En ese momento, sus amigos ya le llamaban *el Picoso*, y tenían gran confianza en su habilidad para boxear. La pelea comenzó y decidido aceptó un difícil reto y triunfó. Otras personas advirtieron su capacidad para boxear y lo entrenaron para participar en torneos cada vez más importantes hasta conseguir 125 peleas ganadas y solamente cuatro derrotas.

Tres años de entrenamiento y una completa dedicación llevaron a Ricardo a representar a México en las Olimpiadas de 1968, en la categoría de peso mosca. Con el apoyo de las personas reunidas para observar el magnífico evento de la final, todos daban muestras de cariño y admiración a Ricardo *el Picoso*, Delgado. Ricardo cumplió un gran sueño y ganó la máxima presea: la medalla de oro. Sintió una gran emoción al recibir este reconocimiento, escuchar el Himno Nacional Mexicano y saber que se convertía en un orgullo nacional.

Ricardo ha recibido muchos premios pero el mayor de todos es ser ejemplo de constancia y dedicación para muchos niños y jóvenes.

Sacarina y Sacarosa
Carlos Ramos Burboa

Don Ramón atendía una pequeña tienda de abarrotes, de ésas que cada día se ven menos. Era un buen hombre, pero cuando estaba ocioso, que era la mayor parte del tiempo, le daba por hacer bromas y molestar a los escasos clientes que visitaban la tienda o a los vecinos que pasaban frente a su negocio.

Rina y Rosa eran hermanas y vivían a unas cuantas casas de distancia de la tienda de don Ramón, por lo que con frecuencia eran víctimas de las bromas del viejo tendero.

Una tarde en que don Ramón acomodaba unas bolsas de azúcar sobre el mostrador, alcanzó a ver pasar a las hermanas que regresaban de la escuela. En un arranque de inspiración, don Ramón levantó el tablón que bloqueaba el mostrador y corrió hasta la puerta, a tiempo para gritar: "¡Adiós, Sacarina; adiós, Sacarosa!" Y luego se desternilló de risa por su ocurrencia, tanto que no pudo terminar de acomodar el azúcar hasta la mañana siguiente.

Las hermanas, que nunca habían oído aquellas palabras, no supieron bien a bien a qué atenerse, y sólo pensaron que al pobre don Ramón se le había botado algún tornillo. Esa tarde, su madre les dijo que la sacarina y la sacarosa eran muy parecidas al azúcar, y que don Ramón seguramente estaba jugando con sus nombres, Rina y Rosa, cosas de la ociosidad, de seguro.

Con esto se hubiera olvidado el curioso asunto, de no ser por la terquedad de don Ramón, quien, como niño con juguete nuevo, esperaba desde entonces todos los días el re-

greso de las hermanas para repetir su consabida frase: "¡Adiós, Sacarina; adiós, Sacarosa!", para luego estallar en tremendas risotadas que las niñas podían escuchar hasta la puerta de su casa.

Rina y Rosa hubieran evitado con gusto pasar por el negocio del tendero, pero del lado opuesto de la calle vivía un enorme perro, al que temían. Así que todas las tardes regresaban rumbo a su casa, resignadas a escuchar la misma broma, que cada vez les resultaba más odiosa.

Un día, las hermanas regresaron un poco más tarde porque una lluvia torrencial las había detenido a las puertas de la escuela. Don Ramón odiaba los días de lluvia, porque no se paraban ni las moscas por su tienda, y él se aburría aún más que de costumbre. Desde que había parado de llover, don Ramón esperaba ansioso el regreso de las hermanas para tener algo de diversión. En cuanto oyó el rumor de sus pasos, levantó la tranca del mostrador y salió corriendo, con tal ímpetu que atravesó la banqueta y llegó casi hasta la calle. Para su mala suerte, en ese momento pasaba por la calle un camión de refrescos que, como no llevaba carga, iba a toda prisa. Las llantas del pesado camión pasaron por un charco que estaba justo frente al lugar donde don Ramón había detenido su carrera, levantando un enorme surtidor sobre el pobre tendero.

Rina y Rosa, a unos metros de distancia, se detuvieron mientras el chapuzón cubría por completo a don Ramón. El agua, mezclada con aceite y basura que se acumulaba en la calle, escurría por los cabellos del tendero, y corría por sus brazos y piernas, rígidos como columnas por la sorpresa y el frío. Las hermanas se miraron entre sí por un instante, y entonces, como si se hubieran leído el pensamiento, gritaron a voz en cuello: "¡Don Ramón, El Remojón!", y luego corrieron hasta su casa, mientras reían y saltaban como locas.

Desde ese día, don Ramón no volvió nunca más a poner apodos o a molestar a sus vecinos. Cuando llegaba a encontrarse con las hermanas, se quedaban viendo unos a otros durante unos segundos, y luego todos comenzaban a reír al acordarse del tremendo chapuzón de aquella tarde.

La creación del hombre, según los mayas*

Éste es el primer relato de cuando todo se hallaba inmóvil. Cuando no había todavía seres humanos ni animales, ni árboles ni piedras, y todo estaba en calma y silencio. Sólo la mar serena se mantenía en reposo, tranquila y apacible, pues la faz de la Tierra aún no se manifestaba.

Nada había dotado de existencia. Mas en el centro de la noche eterna del inicio, moraban los Progenitores rodeados de aguas claras y transparentes, vestidos de plumajes verdes y azules, llenos de energía y pensamientos. Y ellos hicieron la palabra. Y en la oquedad del cosmos hablaron, meditaron y se pusieron de acuerdo para crear al hombre cuando la luz llegara.

De esta manera, en la oscuridad de las tinieblas nocturnas del origen, dispusieron la creación y el crecimiento de los seres:

*Adaptación de Antonio Domínguez Hidalgo.

—¡Hágase así! ¡Que se llene el vacío! ¡Que esta agua inmensa se retire y desocupe el espacio para que surja la tierra! ¡Que aclare! ¡Que amanezca! ¡Que broten los árboles y los bejucos!

Y diciendo esto los Progenitores, como neblina, como nubes, como polvareda, nacieron los valles y las cumbres aparecieron junto a los pinares en la superficie. Y los Progenitores se llenaron de alegría.

En seguida hicieron a los animales pequeños del monte, a los guardianes de los bosques, a los genios de las montañas, a las serpientes, a los venados, a los pájaros, a los tigres, a los lagartos. Y dijeron los Progenitores:

—¿Solamente habrá silencio bajo los árboles? Hablen, griten, gorjeen, digan nuestros nombres, alábennos, ensalcen a sus creadores, invóquennos, adórennos...

Mas no se pudo conseguir que aquellas criaturas hablaran. Sólo chillaban, cacareaban y graznaban. Y sin lenguaje que las engrandeciera, cada una gritaba de manera diferente.

Cuando los Progenitores vieron que no era posible hacerlas hablar, se dijeron decepcionados:

—Esto no estuvo bien. No han podido decir nuestros nombres, el de sus creadores y formadores.

Así pues, los Progenitores, ante el fracaso tuvieron que pensar en hacer una nueva tentativa para crear al ser que los adorara: el ser humano.

—¡A probar otra vez! Ya se acerca el amanecer y la aurora. Hagamos al que nos sustentará y alimentará.

Entonces hicieron con tierra la carne del hombre, pero vieron que no estaba bien, que se deshacía, que estaba blanda, sin movimiento, sin fuerza y que se caía. No movía la cabeza. La cara se le iba para un lado. Tenía velada la vista. No podía ver hacia atrás. Al principio hablaba, pero no poseía entendimiento.

Con el agua se humedeció rápidamente y no se pudo sostener.

Y dijeron los Progenitores:

—Bien se ve que no puede andar ni multiplicarse.

Entonces desbarataron y deshicieron su intento de hombre y siguieron preocupados. Y luego de consultarse entre sí, dispusieron que se juntara madera para que con ella hicieran un hombre, duro, resistente que los habría de sustentar y alimentar cuando amaneciera.

—Buenos saldrán nuestros muñecos hechos de madera. Hablarán y conversarán sobre la faz de la Tierra.

Prosiguieron y al instante fueron hechos los muñecos de madera. Se parecían al hombre. Hablaban como el hombre y poco a poco poblaron la superficie de la tierra. Existieron y se multiplicaron. Tuvieron hijos los muñecos de palo, pero no tenían fuerza creadora ni sabiduría, ni entendimiento, ni memoria, ni voluntad. No se acordaban de su creador. Caminaban sin rumbo y andaban a gatas. Y por no acordarse de sus padres, de los Progenitores, cayeron en desgracia. Un gran diluvio se formó y cayó sobre las cabezas de los muñecos de palo. Fueron anegados, aniquilados, destruidos y desechados los muñecos de madera.

Así fue la ruina de los hombres de madera, creados por los Progenitores.

Y dicen que la descendencia de aquéllos son los monos que existen hoy en los bosques. Éstos son la muestra de lo que fueron. Por esta razón el mono se parece tanto al hombre.

Y entonces, los Progenitores, tristes por no haber dado cima a su obra, decidieron:

—Ha llegado el tiempo del amanecer, de que termine la obra y aparezcan los que nos han de sustentar y nutrir, la humanidad.

Los Progenitores se juntaron, llegaron y celebraron consejo en la oscuridad de la noche. De esta manera salieron a la luz claramente sus decisiones y encontraron lo que debía servir para construir la carne del hombre: mazorcas blancas y mazorcas amarillas. El maíz los formaría. E hicieron los cuatro primeros.

Así, de este alimento provinieron la fuerza de sus músculos, el vigor de sus brazos y la agilidad de sus piernas, y fueron dotados de inteligencia y vieron todo lo que hay que ver en este mundo. Nada se ocultaba a su mirada que con asombro veía la bóveda del cielo y la faz redonda de la Tierra.

Luego los Creadores les formaron a sus esposas y fueron hechas las mujeres. Durante el sueño, mientras dormían, llegaron verdaderamente hermosas. Cuando los cuatro primeros hombres despertaron, se llenaron de alegría sus corazones y dieron vida a todos los que habitamos la Tierra.

Los juegos paralímpicos
Karolina Grissel Lara Ramírez

Los deportistas paralímpicos mexicanos han dado grandes triunfos a nuestro país. Por esta razón, a México se le considera como una potencia en este tipo de competencias.

Antes de 1960, las personas con alguna discapacidad no practicaban de manera formal ningún deporte, pero gracias al psicólogo Jorge Antonio Beltrán Romero y a los doctores Vázquez Vela y Leobardo Ruiz, que trabajaban en el Instituto Mexicano de Rehabilitación y asistían como observadores a diferentes Juegos Olímpicos para discapacitados y competencias internacionales, se organizó y promovió la participación de los atletas en miniolimpiadas y diferentes competencias con la finalidad de que entrenaran profesionalmente, además implementó el programa de "deporte adaptado", dentro de las actividades de rehabilitación de dicho instituto.

Los esfuerzos de este programa rindieron frutos poco a poco. El primer triunfo del equipo mexicano ocurrió en los Juegos Mundiales en Stoke Mandeville, Inglaterra, en 1963: ganaron dos medallas de oro en natación, gracias a Marta Ruiz. Por su parte, Manuel Ruiz obtuvo oro y plata en atletismo. En 1972, México acudió a las Olimpiadas Paralímpicas en Alemania y, en esa ocasión, el equipo mexicano no obtuvo ninguna medalla; no obstante, la participación de los atletas fue excelente. En los Juegos Paralímpicos celebrados en Toronto, Canadá, en 1976, comenzaron los triunfos del equipo

mexicano: ganaron 42 medallas olímpicas. Entre los atletas sobresalientes se encontraba Josefina Cornejo con cuatro medallas de oro, tres de plata y una de bronce.

Desde entonces, y con la creación de un centro de alto rendimiento para los atletas paralímpicos, del que uno de los precursores fue Miguel Aguirre Castellanos, un famoso comentarista de radio, el equipo mexicano ha obtenido más de 250 medallas olímpicas.

La lluvia de la mañana*

La responsabilidad ante todo, así lo vimos mis tres compañeras y yo, entrevistadoras del Censo de Población y Vivienda 2010 y aficionadas al futbol. Coincidió con que el campeonato mundial en Sudáfrica se estaría realizando en ese año y en las fechas del censo, y había un problema, nuestra selección, de la cual siempre estamos deseando que le gane a otros países, jugaría el día en que teníamos que visitar algunas viviendas.

Aunque dijimos que un mundial no se ve todos los días, porque es cada cuatro años, nos fue más importante darle preferencia al trabajo en el censo, que se realiza cada 10 años, y es que organizarlo no es cualquier cosa: se tiene que poner de acuerdo muchísima gente para llegar a cada una de las viviendas que hay en México y contar a las personas que en ellas viven, además de averiguar algunas de sus características, como: sexo, edad, escolaridad, estado civil —si están casadas, solteras, viudas o viven en unión libre—, entre otros aspectos; asimismo, conocer cuántos cuartos tiene la vivienda, con qué bienes cuenta —televisor, radio, refrigerador o estufa— y los servicios que tiene, como agua entubada y drenaje.

La información que se reúne es indispensable como apoyo para planear el desarrollo de México, por ejemplo: saber cuántas vacunas hacen falta o dónde se necesita energía eléctrica, escuelas u hospitales.

Era el domingo 27 de junio, fecha en que jugaba México frente a Argentina. Las tres queríamos iniciar temprano las visitas a algunas viviendas que estaban pendientes de ser censadas; por ello, nos pusimos de acuerdo con Mary, nuestra supervisora, para

131

vernos con ella a las 6:00 de la mañana en el fraccionamiento Topacio, del poblado La Parrilla, en el municipio de Centro, Tabasco, con el propósito de repartirnos los listados para trabajar por área.

Ya reunidas con Mary, nos dimos cuenta de que traía puesta *la verde* —así se le llama a la playera de nuestra selección— debajo de su chaleco del uniforme. Eso nos dio ánimo para comentarle nuestro deseo de ver el partido cuando acabáramos las visitas que teníamos que hacer. Como ella también lo quería ver, nos apuró a empezar cuanto antes, pero nos pidió que, para que la gente nos identificara como personal del Instituto Nacional de Estadística y Geografía (Inegi) y del censo, utilizáramos nuestro uniforme completo: chaleco, gorra y credencial colgada en el cuello, así como la mochila donde guardamos los cuestionarios del censo, tanto los que ya terminamos como los que están por ser llenados.

Así, nos despedimos de nuestra supervisora e iniciamos el recorrido. La mañana era fría, oscura y lluviosa; las gotas pequeñas me mojaban la gorra, el chaleco y los pantalones; de repente, escuchamos el estruendo terrible de un rayo

que cayó cerca: "Ojalá no llueva más fuerte", les comenté a mis compañeras.

No había terminado de decirles cuando empezó a llover muy tupido, tanto que nuestra supervisora, preocupada, nos habló por teléfono para ubicarnos, porque ya era una tormenta. El viento nos golpeaba y, temerosas, nos miramos entre nosotras; entonces, corrimos para refugiarnos debajo de un zaguán, no queríamos que los cuestionarios se mojaran, aunque estaban en las mochilas y traíamos impermeables. El nivel del agua comenzaba a subir, primero cubrió nuestros zapatos y, luego, nos llegó hasta las rodillas.

Por el temporal, Cristina, una compañera delgada y de tez morena, exclamó: "Tengo muchas ganas de terminar de visitar las viviendas que me faltan, quiero ir a ver cómo México

le gana a Argentina". En su rostro se notaba desesperación, no sé si por la lluvia o por ver el juego, pero nos quiso animar diciendo: "Manos a la obra".

La lluvia era tan fuerte que no podíamos ver más allá de unos pasos y tampoco era posible caminar. Las demás chicas y yo nos miramos de nuevo, queríamos avanzar para terminar y poder ver el encuentro de futbol, no podíamos quedarnos ahí esperando, teníamos que lograr la meta que nos habíamos propuesto.

Entonces, Cristina se adelantó y comenzó a tratar de caminar entre el agua: los esfuerzos que hacía provocaron que el impermeable que la cubría se le enredara en la cara asfixiándola. De súbito, empezó a gritar, en un principio, creímos que jugaba, pero al escuchar que sus gritos se volvían alaridos, nos asustamos, no sabíamos cómo ayudarla pues en ese momento se cayó con la fuerte corriente. Lo increíble fue que, a pesar de todo, Cristina abrazó con fuerza la mochila con los cuestionarios, no quería que se mojaran, aun cuando estaba poniendo en riesgo su vida.

Mis otras dos compañeras y yo estábamos al borde de la histeria, pero corrimos para ayudarla a levantarse. La lluvia era cada vez más intensa y la gente cercana al lugar, al oír los gritos, trataba de saber qué pasaba. Cuando quisimos regresar al zaguán para protegernos de la lluvia, un relámpago, seguido de un estruendoso tronido, hizo temblar el suelo: por el susto, una compañera perdió el equilibrio y se cayó al agua arrastrándonos a su paso a todas las que quedábamos en pie.

Entre risas, nos paramos y recogimos las mochilas; qué más daba, ya estábamos empapadas y sucias; con esas fachas, la gente no podría negarnos la información. Después de que terminó de llover y el nivel del agua bajó, seguimos trabajando y salimos del fraccionamiento con los cuestionarios a salvo.

Aunque ese domingo no pudimos llegar a ver el partido de futbol, ni logramos apoyar a nuestra selección, tuvimos la satisfacción de aplicar 18 cuestionarios de las 27 viviendas pendientes, incluso con toda la catástrofe que enfrentamos. Más tarde, ya con ropa seca y limpia, nos reunimos para ver la repetición del juego y disfrutar del gol que metió el *Chicharito* Hernández por parte de México.

*Texto proporcionado por el Instituto Nacional de Estadística y Geografía (Inegi).

Para comentar la lectura

Las lecturas que contiene este libro son una selección de diversos géneros: poesía, relato, fábula, textos informativos, refraneros populares, entre otros. De la experiencia de la lectura brotan nuevas inquietudes, ideas e interés por temas distintos. Su propósito es abrir una puerta al conocimiento, pero también ser un espacio de entretenimiento, disfrute y convivencia.

Así, una vez que compartieron las lecturas, reconocieron personajes, historias y objetos, y quizá se detuvieron especialmente en un detalle que captó su atención, a continuación les sugerimos algunas preguntas que serán útiles para continuar los comentarios sobre las lecturas. Estas preguntas y muchas otras, tantas como su imaginación proponga, les permitirán dialogar, enriquecer su lectura, atender a otros temas que tal vez en un principio pasaron desapercibidos y reafirmar aquellos que les eran familiares.

La historia de un pequeño héroe de la guerra de Independencia (p. 10) Carlos Alberto Reyes Tosqui	¿Quiénes eran "los emulantes"? ¿Cómo se llama el pequeño héroe? Después de leer este texto, ¿qué buenas acciones realizarás tú?
Sueños de hoy y mañana (p. 12) Martha Judith Oros Luengo	¿Por qué Celina buscaba un libro para ir a dormir? ¿Por qué crees que el libro pueda ser el mejor amigo de las personas? ¿Para qué le sirvió la lectura a Celina y su familia?
Acertijos (p. 16) Estela Maldonado Chávez	¿Cuál de los tres acertijos entendiste mejor? ¿Por qué? ¿Cuál adivinaste a la primera? ¿Quién te ayudó a sumar y restar para adivinar?
Tatuajes (p. 18) Daniela Aseret Ortiz Martinez	¿Crees que son necesarios los cohetes en nuestra vida cotidiana? ¿Por qué? ¿Cuáles son las medidas de precaución que se deben tener al encender cohetes? ¿Cuáles fueron los errores que cometió el protagonista "aquel día"?
El amor de las selvas (p. 20) José Santos Chocano	¿Por qué el poeta quiere ser árbol? ¿A quién crees que se dirige el poeta con sus versos? ¿Con qué quiere el poeta que se haga un abanico?
Calaveritas (p. 24) Francisco Hernández	¿A qué se refiere el autor con que el Santo "sobre el *ring* era la ley"? ¿Quién fue Diego Rivera? Escribe una calaverita a un personaje, vivo o muerto, que llame tu atención.
La gotita rebelde (p. 28) Carlos Ramos Burboa	¿Cuánto tiempo llevaba descompuesta la llave de agua en la casa de la familia Pérez? ¿Cuánto tiempo tomó repararla? ¿Qué medidas tomas para cuidar el agua?
La bujía (p. 34) José Agustín Escamilla Viveros	¿Para qué necesitaba las bujías don Juan? ¿Cuál fue el malentendido de don Juan con el dueño de la refaccionaria? ¿Te parece correcto lo que hizo don Juan cuando encontró la bujía perdida? ¿Por qué?
Inundaciones (p. 38) Maia Fernández Miret	¿Por qué suceden las inundaciones? ¿Cómo puedes prepararte por si sucede una inundación en tu comunidad? ¿Cuál es el plan de emergencia que tiene tu familia en caso de inundación?

El desarrollo de la habilidad lectora es determinante para atinar las competencias en todas las áreas del conocimiento, tanto en la escuela como en otros ámbitos de la vida. Mediante la lectura se desarrollan las capacidades de observación, atención, concentración, análisis y pensamiento crítico. No menos importante es la cualidad de la lectura de ser un espacio para la diversión y para satisfacer la curiosidad sobre innumerables temas de interés.

Para que el acto de lectura ocurra a plenitud se requieren dos procesos: en un primer nivel, la decodificación de las palabras; en un segundo nivel, la comprensión del significado del texto. El lector deber ser capaz de entender y reflexionar sobre lo que lee.

En este sentido, la Secretaría de Educación Pública pone a disposición de quienes acompañan a los niños en el desarrollo de su habilidad lectora determinados estándares que establecen el número de palabras por minuto que se espera que los alumnos de educación básica puedan leer en voz alta al terminar el grado escolar que cursan. Tales estándares no pretenden forzar a los niños a alcanzar los valores máximos, sino darles seguimiento y parámetros de referencia que los respalde en el proceso de mejora constante.

Nivel	Grado	Palabras leídas por minuto
Primaria	1°	35 a 59
	2°	60 a 84
	3°	85 a 99
	4°	100 a 114
	5°	115 a 124
	6°	125 a 134
Secundaria	1°	135 a 144
	2°	145 a 154
	3°	155 a 169

En el acompañamiento de los niños en el desarrollo de su habilidad lectora, usted puede jugar un papel muy importante. Éstas son algunas sugerencias:

1. Lea en voz alta los primeros cinco minutos, para que su lectura sirva de modelo (si usted no sabe leer, entonces es de gran utilidad que escuche al niño cuando él lea).
2. Invite al niño a que lea en voz alta los siguientes diez minutos.
3. Al finalizar la lectura, platique con él sobre lo que leyeron, acerca de sus reflexiones e inquietudes que les generó la lectura.
4. Revise con el niño las palabras que omitió o que se le dificultaron al momento de leerlas.

Conviene que por lo menos cada ocho días cuente las palabras que lee el niño en un minuto y lleve un registro para observar su avance.

¿Qué opinas de tu libro?

Tu opinión es importante para que podamos mejorar este Libro de lecturas.
Tercer grado. Anota una palomita (✓) en el casillero que corresponda a tu
preferencia.

	Mucho	Regular	Poco
Me gusta mi libro.	☐	☐	☐
Entendí las lecturas.	☐	☐	☐
Me gustan las imágenes que aparecen en el libro.	☐	☐	☐

Escribe los títulos de los tres textos que más te hayan gustado.

_____

_____

_____

Escribe los títulos de los tres textos que no te hayan gustado.

_____

_____

_____

¿Tienes sugerencias sobre lecturas que te gustaría hacer? Anótalas aquí.

_____

_____

¡Gracias por tu participación!

SEP

DIRECCIÓN GENERAL DE MATERIALES EDUCATIVOS
Dirección de Desarrollo e Innovación de Materiales Educativos
Versalles 49, tercer piso, Col. Juárez,
Delegación Cuauhtémoc, C.P. 06600,
México, D.F.

Datos generales

Entidad: _____

Escuela: _____

Turno: Matutino ☐   Vespertino ☐   Escuela de tiempo completo ☐

Nombre del alumno: _____

Domicilio del alumno: _____

Grado: _____

Referencias iconográficas

Para la publicación de esta colección, conformada por los libros de lecturas de primero a sexto año de primaria, decidimos recurrir a la obra de litógrafos y grabadores para dar a conocer a las nuevas generaciones las técnicas utilizadas en este tipo de propuesta plástica. Las obras aquí publicadas están protegidas por las leyes de derechos de autor y su reproducción en este libro ha sido con fines educativos.

Bush, Wilhelm, *Sammlung mit Max und Moritz*, Múnich, Brown & Sdneider.

Catálogo ilustrado de ferretería, México, sin datos.

Consolidated Dental Manufacturing Company. Illustrated and Descriptive Catalogue, Nueva York, Consolidated Dental Manufacturing Company, 1899.

Enciclopedia ilustrada Seguí. Diccionario universal, 3 tomos, Barcelona, Centro Editorial Artístico de Miguel Seguí, 1943.

Estrin, Michael, *2,000 Designs. Forms and Ornaments*, Nueva York, WM Penn Publishing, 1947.

Figuier, Louis, *Le Savant du Foyer. Ou Notions Scientifiques Sur les Objects Usuels de la Vie*, París, Librairie de L. Hachette et Cie, 1864.

George, Ross F., *Arte de hacer carteles a pluma o pincel*, Pensilvania, Hunt Pen Company, 1952.

Grabado de la primera imprenta en México, 1534 (primera en el continente americano), © Other Images.

Guptill, Arthur L., *Drawing Whith Pen and Ink and a Word Concerning the Brush*, Nueva York, The Pencil Points Press, 1930.

Handbook of Designs and Motif, Nueva York, Tudor Publishing Company, 1950.

Harter, Jim, *Animal. 1914 Copyright-Free Illustrations*, Nueva York, Dover Publications, 1979.

_____, *Hands. A Pictorial Archive from Nineteenth-Century Sources*, Nueva York, Dover Publications, 1980.

_____, *Men. A Pictorial Archive from Nineteenth-Century Sources*, Nueva York, Dover Publications, 1980.

_____, *Women. A Pictorial Archive from Nineteenth-Century Sources*, Nueva York, Dover Publications, 1982.

La sagrada biblia, 2 tomos, trad. de D. Felipe Scío, Barcelona, Grande establecimiento tipográfico editorial de Ramón Molinas, 1865.

Lehner, Ernst, *Symbols, Signs and Signets*, Nueva York, Dover Publications, 1950.

Mendenhall, John, *Scan this Book Two*, Nueva York, Art Direction Book Company, 1996.

Nessbitt, Alexander, *200 Decoratives Title-Pages. An Anthology of Copyright-Free Illustrations for Artists and Desingners*, Nueva York, Dover Publications, 1992.

Olian, Joanne, *Children's Fashions 1860-1912. Designs from "La Mode Illustrée"*, Nueva York, Dover Publications, 1944.

Quinn, Gerard, *The Clip Art Book*, Nueva York, Crescent Book, 1990.

Saunders, J.B. de C.M. y Charles D. O'Malley, *The Illustrations from the Works of Andreas Vesalius of Brussels*, Nueva York, Dover Publications, 1950.

The Defiance Machine Works, Catalogue 194, Defiance, Ohio, 1850.

Webster's New International Dictionary, 2ª ed., Springfield, Merriam Company Publishers, 1953.

Libro de lecturas.
Tercer grado,
se imprimió por encargo
de la Comisión Nacional de
Libros de Texto Gratuitos, en los
talleres de Cartolito, S.A. de C.V.,
con domicilio en Palos Altos No. 130,
Col. Urdiales, C.P. 64430,
Monterrey, N.L.,
en el mes de Junio de 2012.
El tiraje fue de 3'085,240 ejemplares.

Impreso en papel reciclado

Documentos importantes